MW00413818

MANIPULACIÓN

La guía definitiva para influir en las personas con persuasión, PNL, control mental y manipulación emocional encubierta. Las técnicas secretas del hipnotismo, el engaño, las redes sociales y el lavado de cerebro

Edoardo Vargas

Descargo de responsabilidad

Ninguna parte de esta publicación puede ser reproducida o transmitida de ninguna forma o por ningún medio, mecánico o electrónico, incluyendo fotocopiado o grabación, o por cualquier sistema de almacenamiento y recuperación de información, o transmitido por correo electrónico sin el permiso por escrito del editor.

Si bien se han hecho todos los intentos para verificar la información proporcionada en esta publicación, ni el autor ni el editor asumen ninguna responsabilidad por errores, omisiones o interpretaciones contrarias del tema en este documento.

Este libro es solo para fines de entretenimiento. Las opiniones expresadas pertenecen únicamente al autor y no deben tomarse como instrucciones o mandatos de expertos. El lector es responsable de sus propias acciones.

El cumplimiento de todas las leyes y regulaciones aplicables, incluidas las licencias profesionales internacionales, federales, estatales y locales, las prácticas comerciales, la publicidad y todos los demás aspectos de la actividad comercial en los EE. UU., Canadá o cualquier otra jurisdicción, es responsabilidad exclusiva del comprador. o lector.

Sommario

Introducción

La manipulación es el acto de utilizar estrategias aberrantes para controlar la conducta, los sentimientos y las conexiones.

Mucha gente participa en la manipulación intermitente. Por ejemplo, decirle a un conocido que te sientes "bien" cuando estás desanimado es, en realidad, un tipo de manipulación, ya que controla las percepciones y las respuestas de tu conocido hacia ti.

La manipulación también puede tener resultados cada vez más engañosos, sea como sea, y con frecuencia está relacionada con el maltrato psicológico, especialmente en las conexiones privadas. Muchas personas ven la manipulación de manera adversa, particularmente cuando daña el bienestar físico, apasionado o psicológico de la persona que está siendo manipulada.

Mientras que las personas que controlan a los demás regularmente lo hacen porque quieren controlar su condición y su entorno, un impulso que con frecuencia se origina en un profundo temor o tensión situados, es todo menos una conducta sólida. Participar en la manipulación puede evitar que el manipulador interactúe con su yo genuino y ser manipulado puede hacer que un individuo se encuentre con una amplia gama de impactos enfermos.

Nosotros, como un todo, necesitamos satisfacer las necesidades; sin embargo, los manipuladores utilizan estrategias maliciosas. La manipulación es un enfoque para impactar secretamente a alguien con una política engañosa, seductora o dañina. La manipulación puede parecer amistosa o incluso cordial o un cumplido, como si la persona tuviera su preocupación más elevada como su principal preocupación, sin embargo, como regla general, es para lograr un proceso de pensamiento ulterior. En diferentes ocasiones, se esconde una vibra antagónica, y cuando se utilizan técnicas peligrosas, el objetivo es controlar. Es posible que no comprenda de qué está realmente asustado sin darse cuenta.

Si creciste siendo manipulado, es más difícil percibir lo que está sucediendo, ya que se siente natural. Es posible que tenga una premonición de incomodidad o indignación, sin embargo, superficialmente, el manipulador puede utilizar palabras que son hermosas, encantadoras, sensatas o que juegan con su culpa o compasión, por lo que reemplaza sus impulsos y no tiene idea de qué decir. Los codependientes experimentan dificultades para ser inmediatos y decisivos y pueden utilizar la manipulación para obtener su dirección. También son una presa simple para ser manipulados por narcisistas, personalidades marginales, sociópatas y otros codependientes, incluidos los adictos.

Capítulo 1

Cómo funciona la manipulación mental

Efectos de la manipulación en el bienestar emocional

Si no se aborda, la manipulación puede generar malos resultados de bienestar psicológico para las personas que son manipuladas. La manipulación crónica en las relaciones cercanas también puede ser una señal de que se está produciendo abuso emocional, que de vez en cuando puede tener un impacto comparable a la lesión, especialmente cuando la víctima de la manipulación se siente culpable o avergonzada.

Las víctimas de manipulación crónica pueden:

Sentirse desanimado

Crear ansiedad

Cree diseños de adaptación poco saludables

Intente siempre satisfacer a la persona manipuladora.

Miente sobre sus sentimientos

Ponga las necesidades de otra persona antes que las suyas

Piensa que es difícil confiar en los demás.

MANIPULACIÓN Y SALUD MENTAL

Si bien muchas personas participan en la manipulación ocasionalmente, un ejemplo crónico de manipulación puede mostrar una preocupación oculta por el bienestar emocional.

La manipulación es excepcionalmente estándar con conclusiones sobre problemas de personalidad; por ejemplo, personalidad límite (TLP) y personalidad narcisista (NPD). Para algunas personas con TLP, la manipulación puede ser un método para reunir sus necesidades emocionales o obtener aprobación, y ocurre regularmente cuando la persona con TLP se siente insegura o abandonada. El mismo número de personas con TLP ha visto o experimentado abuso, y la manipulación puede haber creado como un método para lidiar con el estrés para cumplir con los requisitos de una manera indirecta.

Las personas con personalidad narcisista (NPD) pueden tener diferentes explicaciones para participar en un comportamiento manipulador. Como las personas con NPD pueden experimentar problemas para enmarcar relaciones cercanas, pueden recurrir a la manipulación para "mantener" a su pareja en la relación. Los atributos de la manipulación narcisista pueden incluir deshonrar, acusar, jugar a ser la "víctima", problemas de control y farsa.

El trastorno de Munchausen como sustituto, durante el cual una figura paterna enferma a otra persona para que recoja consideración o cariño, es otra condición que se describe como comportamientos manipuladores.

MANIPULACIÓN EN LAS RELACIONES

La manipulación a largo plazo puede tener impactos positivos en las relaciones cercanas, incluidas aquellas entre amigos, parientes y parejas sentimentales. La manipulación puede deteriorar la salud de una relación y conducir al pobre bienestar emocional de quienes están en la relación o incluso a la desintegración de la relación.

En un matrimonio o sociedad, la manipulación puede hacer que uno de los miembros de la pareja se sienta acosado, desconectado o inútil. De hecho, incluso en relaciones saludables, una pareja puede manipular incidentalmente a la otra para esquivar el enfrentamiento o también tratar de proteger a su pareja para que no se sienta cargada. Muchas personas pueden incluso darse cuenta de que están siendo manipuladas en su relación e ignorarla o minimizarla. La manipulación en las relaciones personales puede tomar múltiples estructuras, incluida la distorsión, la culpa, la entrega de regalos o, específicamente, la demostración de amor, el mantenimiento de misterios y la animosidad inactiva.

Los tutores que manipulan a sus hijos pueden acusarlos de culpa, abatimiento, ansiedad, problemas de alimentación y otras condiciones de bienestar emocional. Asimismo, una investigación descubrió que los tutores que utilizan consistentemente tácticas de manipulación con sus hijos pueden mejorar la probabilidad de que sus hijos también utilicen conductas manipuladoras. Los indicios de manipulación en la relación entre padres e hijos pueden incluir hacer que el niño se sienta culpable, ausencia de responsabilidad por parte de los padres, minimizar los logros del niño y debe participar en numerosas partes de la vida del niño.

Las personas también pueden sentirse manipuladas si son parte de una amistad que ha resultado ser letal. En las amistades manipuladoras, una persona puede utilizar a la otra para abordar sus problemas en detrimento de los de su amigo. Un amigo manipulador puede usar la culpa o la compulsión para concentrar favores, por ejemplo, adelantar dinero en efectivo, o puede conectarse con ese amigo cuando necesita satisfacer sus propias necesidades emocionales y puede descubrir perdones cuando su amigo tiene necesidades en la relación.

Ejemplos de comportamiento manipulativo

De vez en cuando, las personas pueden manipular a otros sin saberlo, sin ser completamente conscientes de lo que están haciendo, mientras que otros pueden intentar reforzar sus tácticas de manipulación. Algunas indicaciones de manipulación incluyen:

Comportamiento contundente e independiente

Peligros entendidos

Naturaleza engañosa

Retención de datos

Confinando a una persona de amigos y familiares

Gaslighting

Abuso verbal

Utilización del sexo para lograr objetivos

Como las intenciones detrás de la manipulación pueden diferir de ajenas a malévolas, es fundamental identificar las condiciones de la manipulación que está teniendo lugar. Si bien cortar cosas puede ser básico en situaciones de abuso, un especialista puede ayudar a otras personas a descubrir cómo manejar o desafiar el comportamiento manipulador de los demás.

Instrucciones paso a paso para TRATAR CON PERSONAS MANIPULATIVAS

Cuando la manipulación se vuelve venenosa, controlar el comportamiento de los demás puede resultar debilitante. Se ha demostrado que la manipulación en el lugar de trabajo reduce la ejecución, y el comportamiento manipulador de amigos y familiares puede hacer que la realidad parezca defectuosa. Si siente que está siendo manipulado en alguna relación, puede ser útil:

Retirar. Si alguien está intentando obtener una reacción emocional específica de usted, decida no ofrecérsela. Por ejemplo, si se sabe que un amigo manipulador te felicita antes de solicitar un apoyo excesivo, no sigas el juego; en su lugar, responde con consideración y avanza la conversación.

Estar seguro. De vez en cuando, la manipulación puede incorporar los esfuerzos de una persona para hacer que otra persona cuestione sus capacidades, instinto o incluso la realidad. Si esto ocurre, podría adherirse a su historia; No obstante, si esto sucede regularmente en una relación cercana, podría ser una oportunidad ideal para irse.

Aborde la situación. Saque el comportamiento manipulador a medida que avanza. Mantener la atención sobre cómo las actividades de la otra persona lo están influenciando en lugar de comenzar con una proclamación acusatoria también puede permitirle llegar a sus metas y, al mismo tiempo, subrayar que sus tácticas manipuladoras no lo afectarán.

Permanecer en el tema. Cuando llama la atención sobre un comportamiento que lo hace sentir manipulado, la otra persona puede intentar limitar la situación o desordenar el caso planteando otros problemas como distracción. Tenga en cuenta su asunto central y adhiérase a eso.

TENDIENDO A LA MANIPULACIÓN EN TERAPIA

El tratamiento y la terapia para el comportamiento manipulador pueden depender en gran medida de los problemas básicos que están causando el comportamiento. Si, por ejemplo, la manipulación se debe a un problema básico de bienestar psicológico, la terapia singular puede permitirle a esa persona comprender por qué su comportamiento no es saludable para ellos y las personas que los rodean. Un defensor también puede tener la opción de permitir que la persona manipuladora aprenda aptitudes para colaborar con los demás, mientras considera sus límites y aborda las debilidades ocultas que podrían contribuir al comportamiento.

Los problemas de bienestar psicológico específicos, por ejemplo, la personalidad límite pueden hacer que las personas sientan ansiedad en las relaciones, lo que las hace actuar de forma manipuladora para sentirse seguras. En estas ocasiones, un especialista puede capacitar a la persona para abordar su problema de bienestar emocional, lo que puede disminuir su ansiedad y ayudarla a sentirse segura en sus relaciones.

Capitulo dos

Técnicas de persuasión

El poder de persuasión es una habilidad que se puede obtener con eficacia; sin embargo, uno debe estar preparado para aplicar estas técnicas. La capacitación puede volver a ser inconfundible ya que la división de ventas de una organización preparará a sus trabajadores con técnicas de persuasión tan abstractas, y su punto fundamental sería capacitar a los ejecutivos para vender el artículo específico que está fabricando la organización.

El poder de las técnicas de persuasión es excepcional cuando se ejecuta con perfección. Estas son técnicas que uno no puede resistir la oportunidad de acertar si la persona en cuestión está funcionando como ejecutivo de ventas. El entrenamiento de la técnica de persuasión no es un simple entrenamiento para terminar. Requiere un gran esfuerzo y una naturaleza genuinamente refinada de la habilidad de correspondencia, lo que permitirá a un ejecutivo cooperar abierta y reflexivamente con sus clientes.

El poder de persuasión también se puede obtener mediante otro procedimiento llamado proceso de formación natural. En esta formación, se anima a los alumnos a que examinen la mente del cliente de forma sencilla. Cuando lean la mente de los clientes con poco margen de seguridad, se dirigirán a ellos de manera efectiva con palabras que tal vez quieran escuchar y, luego, el estudiante, al final, lo influenciará para que compre el artículo.

El poder de las técnicas de persuasión debe ser reconocido por cada uno de esos fructíferos ejecutivos de ventas que han llegado a las portadas de las revistas de negocios. Están ahí simplemente porque tienen un lugar con la clase de esas personas normales adicionales que con su instinto, apariencia y correspondencia han controlado la mente y el liderazgo básico de miles de clientes. Han utilizado eficazmente sus habilidades para convertir la elección de un cliente en su beneficio y han restaurado a la organización una caja de ingresos intensamente apilada.

La ecuación misteriosa del poder de las técnicas de persuasión se esconde detrás de la relación que el vendedor desarrolla con su cliente. Con la relación viene la condición de la confianza, y en el momento en que te ganes la confianza de tu cliente, la actividad está terminada, vender un artículo es casi un paseo a partir de ese momento.

La habilidad que uno necesita obtener para perfeccionar su poder de persuasión es la delicada habilidad para bromear. Es imperativo entablar una discusión significativa antes de presentarse o en la medida en que esté preocupado por su motivación. Es muy superior si mantiene sus objetivos imperceptibles en el primer punto de referencia. Cuando vea que está controlando la progresión de la discusión, debe incorporar completamente su motivación afabilidad y expandir el tema y presentar los puntos de interés que el cliente puede tener si lo reclama.

Los poderes de persuasión son las habilidades necesarias que esencialmente dirigen la división de ventas de cualquier fundación corporativa. De esta manera, el impacto de los poderes de la técnica de persuasión se eleva por encima del cliente y el comprador y, en el otro extremo, elige la fortuna del hombre básico.

Técnicas de persuasión

La persuasión es una parte de la existencia cotidiana. ¿Con qué frecuencia cree que un vendedor lo ha convencido de comprar algo que no habría comprado sin nadie más? ¿Con qué frecuencia cree que sus amigos o familiares lo convencen de lograr algo? ¿Qué cantidad de enchufes y anuncios ve o escucha cada día? Es todo menos un desafío desacreditar exactamente la frecuencia con la que las técnicas de persuasión nos influyen.

Las organizaciones fructíferas y los vendedores conocen numerosas técnicas de persuasión para controlar las mentalidades y la conducta, por lo que gastaremos dinero en efectivo en su artículo o administración. En cualquier caso, no es necesario estar en acuerdos para influir de manera viable en alguien. Deberíamos hablar sobre algunas técnicas de persuasión ejemplares que se utilizan con la mayor frecuencia posible: baja pelota, pie en la puerta, puerta en la cara y escasez.

Low-Balling

Para empezar, low-balling es una técnica de persuasión que ofrece intencionalmente un artículo a un precio más bajo de lo que uno pretende cobrar. Imagina que estás de compras y un representante de ventas te ha convencido de que compres otra cosa: mabob. Estás completamente emocionado por el artículo mientras lo sigues hasta la caja registradora. En cualquier caso, mientras te está mirando, entiende que la etiqueta de precio en el thingamabob, $ 25, es incorrecta. Él lo lamenta y le informa que el precio real es de $ 35. Reaccionas pensativamente que no es su problema y afirmas que, en cualquier caso, podrías querer terminar el intercambio.

Low-balling es bastante efectivo para convencernos de que paguemos una tarifa más cara al garantizar la compra a un nivel más bajo. Cuando nos hemos decidido por la opción de comprar algo, deben ser confiables en la conducta que nos garantizan que la decisión fue correcta, independientemente de si el precio se incrementa posteriormente. La técnica de bola baja es un trato excepcionalmente estándar en el automóvil. El representante de ventas siempre da la impresión de ser su aliado; Sin embargo, debe elegir la opción para mantener el precio correcto . La forma de lograr un low-balling efectivo no es solo hacer que la oferta inicial sea lo suficientemente atractiva como para lograr el cumplimiento, pero además no hacer la segunda oferta tan extrema que no sea posible.

Pie en la puerta

La segunda técnica de persuasión es el pie en la puerta, que comienza con una pequeña solicitud para obtener el eventual cumplimiento de las solicitudes más importantes. Imagina que recibes un correo electrónico de un amigo que te pide que firmes una solicitud que apoya a una organización benéfica específica. La solicitud es pequeña, sencilla y lo suficientemente simple, por lo que no dude en firmar. Después de siete días, ese amigo equivalente llama y le da las gracias por su firma y le pregunta si colocaría un pequeño letrero en su jardín. Después de hacer eso, tu amigo te convence de hacer un pequeño obsequio y, además, ofrecerte un sábado entero para apoyar la razón.

En la actualidad, si a tu amigo se le hubiera pedido inicialmente que entregaras un sábado como voluntario para una organización benéfica de la que no tenías ninguna responsabilidad, es descabellado que lo hubieras hecho. En cualquier caso, debido a que su amiga comenzó de a poco y se desarrolló según la solicitud más importante, garantizó su responsabilidad. La técnica del pie en la puerta funciona al obtener primero un pequeño sí y luego un sí mucho más alto. Al igual que el low-ball, esta técnica funciona porque quiere ser confiable. Desde el punto de partida más temprano, justificamos la comprensión, convenciéndonos regularmente de que la primera actividad es el resultado de un interés genuino en el tema. Con las consecuentes solicitudes, particularmente aquellas que son ampliaciones de la primera solicitud, nos sentimos comprometidos a actuar de manera confiable con esa aclaración interna.

Puerta en la cara

La tercera técnica de persuasión es la puerta en la cara, que comienza con una solicitud enorme, comúnmente absurda, para obtener el eventual cumplimiento de una solicitud más pequeña. Imagina que tu amiga te pide que le des $ 100 a una asociación benéfica diferente que ella apoya. Usted rechaza, ya que $ 100 es una medida significativa de efectivo para donar a una organización benéfica en la que piensa poco. Su amigo se ve decepcionado y dice: 'Bueno, ¿podría en cualquier caso dar $ 10?' Esta vez, está de acuerdo, ya que $ 10 es considerablemente más sensato que $ 100, a pesar de todo lo que le permite expresarle que sí a su amigo.

La técnica de la puerta en la cara funciona al hacer primero una solicitud que es exorbitante y propensa a no serlo. El objetivo legítimo es lograr que consientamos en la segunda solicitud, más pequeña, que puede parecer completamente sensata porque se contrasta con la demanda principal y más significativa. Del mismo modo, cuando denegamos la solicitud principal, podemos sentirnos arrepentidos. La solicitud posterior nos ofrece la oportunidad de deshacernos de esa culpa. En este sentido, es mucho más probable que digamos que sí.

Técnicas de persuasión imprescindibles

La expresión "persuasión" puede significar un montón de cosas. Desde un punto de vista expansivo, puede pensar en ello como una parte de la existencia cotidiana, ya que la parte más importante de nosotros, sin saberlo, aplicamos la persuasión para obtener lo que necesitamos o para convencer a alguien de que logre algo por nosotros. Tomemos, por ejemplo, elaborado por un representante de ventas; con frecuencia intentan persuadir a los clientes para que compren sus productos, por lo que utilizan diferentes "técnicas de persuasión" para persuadir a un cliente de que haga lo que necesita: comprar el producto. De hecho, incluso las personas jóvenes utilizan técnicas de persuasión para convencer a sus padres de que les compren algo. Por otra parte, la persuasión también tiene un significado más profundo. También puede aludir al poder de transmitir o impactar la mente de otra persona sin que se tome nota. La gente, en algunos casos, lo asocia con "encantamiento", "trance", "truco" o "poder".

Existen numerosos tipos de técnicas de persuasión, y las más reconocidas son las que las acompañan: "técnica de nombres", técnica de "lenguaje positivo", técnica de "palabras aburridas" y técnica de "conexión".

La técnica del nombre es una especie de técnica de persuasión en la que algunas personas llaman a una persona por su nombre de pila para que se destaque lo suficiente como para hacerse notar y, al final, construir una relación. Esto se puede ver entre los representantes de ventas que intentan persuadir a sus clientes para que compren sus productos, cuando obtienen el nombre del cliente, exageran y exageran el nombre del cliente de una manera convincente y bien eliminada.

El lenguaje positivo es otra poderosa técnica de persuasión ampliamente utilizada. Alude a la técnica de utilizar palabras positivas, fortalecedoras y profundamente convincentes para inducir a otra persona a estar de acuerdo con usted o lograr algo por usted.

La técnica de las palabras tediosas consiste en utilizar una palabra más de una vez hasta que se transmite a la mente de otra persona y hace que vea las cosas de manera similar a usted. Asimismo, utiliza el mismo lenguaje o enfatiza que la persona a la que intenta persuadir está utilizando.

La técnica de conexión es también una técnica típica pero atractiva realizada por la mayoría de nosotros. Por lo general, "hacemos asociaciones" con las personas e iluminamos a la persona a la que intentamos persuadir de que tenemos compañeros normales y que además conocemos al " Sr. " o "la Sra. " "Prevalente", alguien que es importante y que puede ayudarnos a lograr el objetivo. de afectar a la persona que compra el producto, concurra con nosotros.

No hay nada incorrecto en utilizar técnicas de persuasión siempre que sus expectativas sean altas. Las técnicas de persuasión pueden ser de gran ayuda para algunas personas y pueden producir un cambio radical en la vida de una persona. ¡Su objetivo esencial es persuadir a una persona para que disimule un pensamiento o pensamiento y consienta en él!

La guía definitiva para mejorar sus técnicas de persuasión

El poder de la persuasión puede abrirle entradas y hacer que el camino para progresar sea mucho más sencillo. Después de leer detenidamente esta parte, tendrá una variedad de técnicas persuasivas disponibles para usted.

Las técnicas más persuasivas tienen sus fundamentos en la PNL (programación neuroetimológica). Estas técnicas de persuasión se basan en la simpatía, para inducir a alguien, debes conseguirlas.

Técnicas persuasivas basadas en la compasión

Lo primero y más importante que debe comprender acerca de la persona a la que está tratando de impactar es aquello a lo que su mente reacciona mejor: la incitación relacionada con el sonido, visual o sintético. Darse cuenta de esto le permitirá ser cada vez más persuasivo al conectarse y mantener este deseo específico.

Cambie sus técnicas de persuasión según el tipo de mente que esté manejando; por ejemplo, al influir en alguien que está orientado a "sentirse", céntrese en cómo se sentirán si hacen lo que usted está tratando de persuadir. Trate de no intentar revelarles a qué se parecerá, es necesario que lo sientan.

Cuanto más consciente esté de la persona que está dirigiendo, más efectivamente centrará sus técnicas de persuasión.

Técnicas persuasivas basadas en espejos

Coordinar su comunicación no verbal e incluso su postura / posición es una técnica persuasiva discreta, aunque sorprendentemente poderosa. Debe ser modesto, y puede que se sienta torpe desde el principio; sin embargo, con un poco de entrenamiento, percibirá cuán efectiva puede ser esta técnica, conocida como "reflexión", para construir una relación y facilitar la persuasión. Además de centrar la esencia de su persuasión de una manera que se asocie bien con su tipo de personalidad específico, también puede alterar su lenguaje y cómo se dirige a ponerse en su nivel. Las personas reaccionan mejor a las técnicas persuasivas que están en su propio "idioma". Consiga palabras específicas que ellos usen y úselas de nuevo con ellas, particularmente descriptores. Concéntrese en su velocidad, tono y volumen, y reaccione de la manera correspondiente como se podría esperar dadas las circunstancias.

Otras técnicas persuasivas

Existen muchas otras técnicas de persuasión que puede eliminar y desarrollar. Le recomendamos que aprenda las técnicas de compasión / reflexión de persuasión, y lo más importante es que son las mejores. Sea como fuere, las técnicas que lo acompañan pueden ser incrementos esenciales para su arsenal de persuasión.

PALABRAS PERSUASIVAS

Hay muchas palabras persuasivas subliminales que se pueden utilizar. Con frecuencia, estos serán una sugerencia para tomar acción: por ejemplo, "Haz eso" o "Sé esto". Las palabras positivas y descriptivas, por ejemplo, "Ciertamente", "La mayoría" y "Efectivo" son persuasivas por sí solas.

Utilice las palabras "ahora", por ejemplo, "hoy" o "ahora mismo" con regularidad para recomendar subliminalmente lo terrible.

Preguntas graciosas

Hacer que la persona piense por sí misma es excepcionalmente estimulante y de esta manera puede ser muy persuasivo. Plantee preguntas que las atraigan y, en consecuencia, se irán abriendo progresivamente. Esto también le permitirá aprender sobre ellos gradualmente. Con frecuencia, esto incluso los persuadirá de que se están decidiendo por la elección cuando en verdad los ha dirigido a esta persuasión.

CONTACTO VISUAL

Es sumamente importante establecer una relación decente con la persona a la que intenta convencer. Sin contacto visual, esto es impensable. Con un contacto visual predecible y sin concesiones, puede generar confianza. Incluya una verdadera sonrisa y la persuasión será mucho más simple.

SEA PERSUASIVO CONECTANDO EMOCIONALMENTE, NO RACIONALMENTE

Cualquiera en cuestiones legislativas se lo hará saber: la gente no reacciona con cordura. Actúan en función de los sentimientos. Para convencer a alguien, debes asociarte emocionalmente con él.

Los tres componentes esenciales de cada argumento persuasivo:

Ethos: la credibilidad, el aprendizaje, el dominio, la estatura y el experto de la persona que intenta convencer.

Logos: la intriga de la lógica, la razón, el razonamiento psicológico, la información y las certezas.

Sentimiento: la intriga a los sentimientos; las inspiraciones no intelectuales y no pensantes que influyen en las elecciones y actividades.

Todas las capas son esenciales, sin embargo, es quizás la capa entusiasta la que tiene más poder de persuasión. Somos criaturas entusiastas y somos mucho más propensos a ser influenciados por la garantía de inclinación alta que por la garantía de que "algo está bien".

¿Son morales las técnicas de persuasión?

Puede que crea que utilizar técnicas de persuasión es indecente, tacaño. Puede terminar con la difícil situación de usarlos con alguien a quien adora. Realmente depende de usted cómo se sienta acerca de la utilización de técnicas persuasivas y, sin embargo, recuerde el acompañamiento.

La gente debe conocer las técnicas y saber cuándo otros intentan controlarlas. Si influye de manera efectiva en alguien, lo ha superado.

La persuasión es constantemente discrecional. Sin embargo, después de mucha práctica, puede descubrir que estas técnicas persuasivas se implantan en la idea de su ser. ¿Te sientes arrepentido por utilizar algunas otras partes de tu personalidad, por ejemplo, sin duda hablando?

Una parte importante del tiempo, intentará hacer lo mejor para ellos en cualquier caso. La motivación detrás de asociarse emocionalmente con alguien es aprender lo que necesita. Cuando sepa esto, simplemente los está induciendo a lograr algo que deberán hacer en cualquier caso. Por lo tanto, de acuerdo con él, la persuasión no controla, simplemente está mostrando su punto de vista.

La gente debería saber lo suficiente para decidirse por sus propias decisiones. En un mundo perfecto, debe estar seguro de que puede utilizar estas técnicas persuasivas para tomar la decisión correcta para todos los interesados.

Técnicas de persuasión hipnótica para oradores públicos

Los oradores públicos eficaces tienen una extraña sensación de poder que atrae a un grupo como una polilla al fuego. Las personas que son observadoras de su calidad no pueden resistir la tentación de reflexionar sobre lo que les da una cercanía tan ordenada. ¿Cómo captarían el asombro y la motivación de la gente? La respuesta adecuada radica en técnicas de persuasión hipnótica para oradores públicos.

Estas técnicas son más sutiles de lo que sospecha. De hecho, incluso alguien que no esté acostumbrado a hablar en público puede utilizar estas técnicas de persuasión hipnótica para los oradores públicos.

Técnica de persuasión hipnótica 1: modula tu voz.

Los oradores públicos usan sus voces como su arma principal. Cambian su tono y su volumen dependiendo del tipo de impresión que necesitan dejar a su público.

Si los oradores necesitan asustar a la gente, probablemente solidificarían su voz y subirían un poco más el volumen. Por otra parte, si buscan compasión, presumiblemente suavizarían su voz hasta casi un murmullo.

Este es uno de los métodos de persuasión para los oradores públicos que manejan los sentimientos.

Técnica de persuasión fascinante 2: usa tus ojos.

Los oradores públicos también tienen sus ojos para permitirles captar a su grupo de espectadores. A algunos les gusta lanzar miradas penetrantes a diferentes partes del grupo cuando discuten un tema específico.

Si necesita tener poder sobre los demás, deje que sus ojos hablen por usted la mitad de la conversación. Practica tus apariencias externas ante el espejo hasta que te aclimate al sentimiento.

Técnica de persuasión cautivadora 3: Utilice otras señales del lenguaje corporal.

La comunicación no verbal es una de las técnicas de persuasión tipo trance más potentes para los oradores públicos. Cada persona tiene su estilo.

Observe que algunos de ellos de vez en cuando mueven el cuerpo; sin embargo, cuando lo hacen, tiene un efecto enorme sobre el grupo de espectadores. En ese momento, hay personas que están excepcionalmente animadas y energizadas que incluso el grupo no puede resistir la tentación de agravarse.

Si terminas en una posición en la que necesitas parecer poderoso, recuerda qué tipo de desarrollo hacen los oradores exitosos y habrás ganado una gran parte de la pelea.

Estas son solo una parte de las fascinantes técnicas de persuasión para los oradores públicos. Incorporarlos a su propia vida puede presentarle muchas ventajas. No exclusivamente le ayudarán a convencer a más personas, sino que también le permitirán sentirse cada vez más cómodo en su propia piel. En poco tiempo, estará transmitiendo todo lo que debe transmitirse, y lograr que otras personas estén de acuerdo con usted sería simple.

Instrucciones paso a paso para utilizar técnicas de persuasión en un nuevo entorno de trabajo

Las mejores técnicas de persuasión son generalmente las menos difíciles. Estas estrategias de influencia no esperan que se ensucie las manos; no te llevarán a investigar un montón.

Sea como fuere, si eres nuevo en el campo de la ciencia del cerebro y la influencia, presumiblemente estás considerando cómo y dónde en el planeta puedes usar estas técnicas de persuasión. ¿Qué impacto tienen en tu vida?

De hecho, para aclarar aún más cómo las técnicas de persuasión pueden afectarle profundamente, debemos elegir una escena de su existencia cotidiana.

Suponga que ha sido trasladado recientemente a otra parte de la empresa para la que trabaja. Esta rama ni siquiera se acerca a la anterior. ¡Está situado en un lugar con una zona horaria diferente! Solo que se encuentra en un país diferente donde lo principal que comparte para todos los efectos es el supervisor que le paga. Lo que es más terrible es que eres el nuevo representante principal.

Normalmente, piensas que es difícil cambiar de estilo de vida en el campo, lo que dificulta que te sientas cómodo en el trabajo. Estos resultados en miseria y desilusión. Entiendes que lo que sea que esté sucediendo en este momento te está tomando por sorpresa.

En ese punto, estructura el propósito de implementar una mejora. Sea como fuere, la pregunta es: ¿Cómo enfocarías inducir a tus nuevos compañeros de trabajo a que eres lo suficientemente competente y que no eres simplemente uno más atractivo?

Este es el lugar donde se sabe que un par de técnicas de persuasión podrían resultar inconvenientes. Lo principal que debe hacer es adaptarse a sus compañeros de trabajo. Dado que usted es el novato aquí, es la persona que necesita cambiar por ellos. Sincronízate con sus diseños de ideas y discursos. Por ejemplo, concéntrese en cómo sus compañeros de trabajo hablan con usted y luego intente copiar su ejemplo.

Esto le permitirá descubrir algo en común con ellos. Si sus compañeros de trabajo tienden a inclinarse ante usted después de hablar, haga lo mismo con ellos. Esto le permitirá rápidamente captar la consideración y la adoración de ellos. Esta técnica de persuasión se llama reflexión. Es algo que muchas personas hacen inconscientemente. No obstante, al hacerlo conscientemente, sin duda tendrá la opción de generar un impacto aún más poderoso.

Otro método para convencer a sus compañeros de trabajo es consultar fuentes válidas. Hacer esto hará que le den importancia a usted o al concepto que está discutiendo. Este método de persuasión se ha aburrido en la cabeza desde que éramos pequeños. Estamos dispuestos a estar de acuerdo con un especialista en lugar de con una persona que no tiene dominio en el tema. Además, esto también les da a sus compañeros de trabajo la sensación de que lo han descubierto.

Estas técnicas de persuasión le permitirán encajar perfectamente y aumentar el poder de atracción sobre sus compañeros de trabajo. Te sentirás alegre y contento en el trabajo. Su amistad y hermandad con sus compañeros de trabajo también afectarán su vida personal y profesional.

Entonces, si estas técnicas de persuasión funcionan cuando estás en un país diferente con una cultura diferente, en ese momento también deberían funcionar dos veces cuando estás en un dominio en el que te sientes cómodo.

Técnicas clave de persuasión

Un objetivo definitivo de la persuasión es convencer al objetivo de disfrazar la gran contención y abrazar este nuevo estado de ánimo como parte de su marco de convicción central.

A continuación se presentan solo un par de técnicas de persuasión excepcionalmente exitosas. Los diferentes métodos incorporan el uso de remuneraciones, disciplinas, dominio positivo o negativo, y muchos otros.

Hacer una necesidad

Un método de persuasión incluye hacer una necesidad o abordar una necesidad que existía anteriormente. Este tipo de persuasión cubre las necesidades básicas de una persona de santuario, amor, confianza y realización personal. Los anunciantes utilizan con frecuencia esta estrategia para vender sus artículos. Considere, por ejemplo, qué cantidad de anuncios recomiendan que las personas necesiten comprar un artículo específico para sentirse optimistas, protegidas, adoradas o respetadas.

Oferta para las necesidades sociales

Otro método viable y poderoso afirma la necesidad de ser famoso, renombrado o como los demás. Los comerciales de televisión dan numerosos ejemplos de este tipo de persuasión, en los que se anima a los espectadores a comprar cosas para que puedan parecerse a cualquier otra persona o parecerse a una persona notable o bien considerada.

Los comerciales de televisión son una inmensa fuente de introducción a la persuasión, teniendo en cuenta que algunas evaluaciones garantizan que el estadounidense normal mira entre 1.500 y 2.000 horas de televisión de forma constante.

Usar palabras e imágenes cargadas

La persuasión también utiliza con frecuencia palabras e imágenes cargadas. Los promotores son muy conscientes del poder de las palabras positivas, razón por la cual un gran número de publicistas utilizan expresiones, por ejemplo, "Mejor que nunca" o "Todo natural".

Pon tu pie en la puerta

Otra metodología que regularmente tiene éxito para lograr que las personas cumplan con una solicitud se conoce como la técnica del "pie en la entrada". Esta estrategia de persuasión incluye hacer que una persona dé su consentimiento para una pequeña aplicación, como pedirle que compre una cosa pequeña, seguida de una solicitud mucho más grande. Al entender que la persona da su consentimiento al pequeño favor inicial, el solicitante a partir de ahora tiene su "pie en la entrada", lo que obliga al individuo a cumplir con la solicitud más importante.

Por ejemplo, un vecino le pide que vigile a dos niños durante una o dos horas cuando acepta la solicitud más pequeña y luego le pregunta si puede vigilar a los niños durante el resto del día.

Dado que ha dado su consentimiento oficialmente a la solicitud más pequeña, puede sentir un sentimiento de compromiso de dar su consentimiento también a la solicitud más extensa. Este es un ejemplo increíble de lo que los analistas aluden como el estándar de compromiso, y los anunciantes utilizan con frecuencia esta estrategia para alentar a los consumidores a comprar artículos y administraciones.

Saque todas las paradas y luego, Small.

Esta metodología es algo contrario al enfoque de pie en la entrada. Un vendedor comenzará por hacer una solicitud enorme y regularmente ridícula. El individuo reacciona con un no puede, golpeando metafóricamente la entrada del trato.

El vendedor reacciona con una solicitud mucho más pequeña, que con frecuencia resulta conciliadora. Las personas se sienten regularmente comprometidas a responder a estas ofertas. Dado que rechazaron esa solicitud subyacente, la gente se siente obligada periódicamente a ayudar al vendedor tolerando la solicitud más pequeña.

Utilice el poder de la reciprocidad

Cuando la gente le ayuda, lo más probable es que sienta un compromiso prácticamente abrumador de proporcionar una recompensa proporcional en especie. Esto se conoce como el estándar de correspondencia, un compromiso social de lograr algo para otra persona porque originalmente logró algo para usted.

Los anunciantes pueden utilizar esta inclinación al hacer que parezca que le están haciendo una generosidad, por ejemplo, incluyendo "artículos adicionales" o descuentos, que en ese momento obligan a las personas a reconocer la oferta y realizar una compra.

Establezca un punto de anclaje para sus negociaciones

La predisposición aseguradora es una inclinación cognitiva sin pretensiones que puede afectar las negociaciones y las elecciones. Al intentar tocar la base en una opción, la oferta principal tiende a convertirse en un punto de amarre para cada intercambio futuro.

Por lo tanto, si está intentando conseguir un aumento de salario, ser la persona principal en recomendar un número, principalmente si ese número es algo alto, puede ayudar a influir en las negociaciones futuras a su favor. Ese primer número se convertirá en la etapa inicial. Si bien es probable que no obtenga esa suma, comenzar alto puede generar una idea más importante de su jefe.

Punto de ruptura su disponibilidad

La gente está obligada a comprar algo si descubre que es el último o que la venta terminará pronto. Un artesano, por ejemplo, puede realizar una ejecución limitada de una impresión específica. Dado que solo hay un par de impresiones disponibles para comprar, es posible que las personas estén obligadas a hacer una compra antes de que desaparezcan.

Invierta energía notando mensajes persuasivos

Los ejemplos anteriores son solo un par de las numerosas técnicas de persuasión descritas por los analistas sociales. Busque ejemplos de persuasión en su experiencia diaria. Una prueba intrigante es ver media hora de un programa de televisión irregular y anotar cada ocasión de publicidad convincente. Puede que le sorprenda la enorme cantidad de técnicas poderosas utilizadas en un período de tiempo tan conciso.

Capítulo tres

Manipulación y PNL

La aptitud y las técnicas utilizadas por los especialistas de PNL les permiten poner fin a las prácticas o propensiones aprendidas y hacer otras nuevas. Si se obliga a levantarse temprano y salir a correr, antes del trabajo o de los niños, entonces esto requiere esfuerzo. Si continúa durante 30 días, terminará siendo una propensión que casi no requiere esfuerzo. A través de la PNL, puede descubrir cómo alternar la ruta de este proceso de encuadre de propensión. Tu mente y las mentes de los demás están ahí para la preparación. La PNL le permite ver las reacciones aprendidas de los diferentes grupos de personas a los aumentos; por ejemplo, cómo actúan en diferentes circunstancias sociales. Al mismo tiempo que le da el control para controlar su conducta e impactar sus pensamientos.

Si necesita utilizar la PNL para inspirarse, le enseña una técnica llamada "atar" que le permite desencadenar cualquier reacción apasionada que desee, por ejemplo, seguridad o felicidad. Indique, por ejemplo, que necesita hacer del ejercicio habitual una parte de su práctica diaria ordinaria sin que sea un esfuerzo tremendo. Puede utilizar la técnica de atar hacia abajo para iniciar la emoción cada vez que considere hacer ejercicio. En este sentido, puede progresar desde ¡no se puede intentar! Necesitar intentar levantarse para correr temprano en la mañana es esencialmente insuficiente, es necesario que lo necesite tanto que debe levantarse y la PNL ayuda con eso.

Otro uso fantástico de las técnicas de PNL es corregir los miedos de las personas. Estas circunstancias requieren el uso de la técnica del 'lavado', que le permite suplantar los sentimientos de pavor y repugnancia que ha descubierto cómo conectar con los arácnidos, las serpientes o la oscuridad y volver a aprender nuevos sentimientos, por ejemplo, el disfrute o simplemente el ser. agradable. La técnica del 'lavado' le permite cambiar un pensamiento más feliz por la reacción educada de temor. De esta manera, la próxima vez que experimente un insecto, reaccionará con su nuevo sentimiento aprendido.

Las técnicas de control mental pueden afectar las actividades de procedimiento de uno porque estas medidas son el efecto secundario de los pensamientos en su mente al principio controlados. Tales métodos dependen de la Programación Neuro-Lingüística

(PNL) que es adecuada para controlar la mente de las personas con sistemas y ejemplos bien preparados.

Antes de entrar rápidamente en el tema, pensemos en una parte de los estándares mentales esenciales que constituyen la razón de tales técnicas.

Controlar los pensamientos

Las leyes de la mente lo incluyen todo; tiene una causa y un impacto. Los ejercicios de la mente se pueden ver de forma remota a través del electroencefalograma y demuestra el estado de conocimiento de uno, el poder de las ondas de pensamiento, la agudeza y el movimiento de la mente.

El estado base es el estado beta con frecuencias mentales más altas con el constante bombardeo de ondas de pensamiento. También se detallaron los índices mentales que son más prominentes que el estado beta.

El hechizo tradicional se basa en la forma de colocar a los sujetos en el estado alfa para que su mente resulte cada vez más sugerente a las direcciones y pueda modificarse, mientras que las técnicas de

Programación Neuro-Lingüística (PNL) pueden hacer clandestinamente instigar los pensamientos en mente inconsciente del sujeto que intencionalmente pasan desapercibidos.

La fuerza tentadora es alta en la programación neurolingüística, y esta técnica se usa sin lugar a dudas cada vez más en los negocios, asuntos gubernamentales, publicidad, mezcla, etc.

A pesar de que el grado de frecuencias mentales del estado de contemplación alfa o theta y el estupor activado en la hipnoterapia son similares, pero difieren en sus rasgos. Alfa es el estado subyacente de reflexión y se procederá a un nivel superior con un estado de conocimiento modificado. 30 minutos de meditación profunda pueden producir el impacto de seis horas de sueño al activar las sustancias sintéticas identificadas con el resto, pero seis horas de sueño no devuelven las ventajas de 30 minutos de contemplación.

De esta manera, es concebible engañar a la mente colocando un elemento o cualquier cosa en la región del sujeto que elude la mente consciente que es escogida por la mente intuitiva.

Casi ninguna proeza del mentalista funciona en esta guía, ya que pueden usar una corbata roja que la mente consciente pasará por alto como si fuera insignificante, y se mantendrá en la mente intuitiva del espectador que utiliza sin saberlo técnicas específicas. Lo más probable es que haya terminado usando la palabra 'LEER' en la discusión o algunos métodos diferentes que activarán el sombreado 'ROJO' en la mente del espectador.

Estos pensamientos se inspiran en el espectador en hábitos metódicos que son utilizados por profesionales de PNL excepcionalmente talentosos. La verdad del asunto es que cada vez más discretas las recomendaciones, más se ve afectada la mente intuitiva.

Las restricciones de la mente están más allá de nuestro reconocimiento.

Técnicas de control mental

Estas son las mejores técnicas de control mental utilizadas por los profesionales talentosos de la PNL para controlar la mente de los demás.

1. **Prestando** atención **a la persona:** Los maestros brindan una consideración cercana a las señales de un individuo como el desarrollo de los ojos, agrandamiento del suplente, tics aprensivos, rubor corporal, lenguaje corporal, ejemplo de respiración, etc. Pueden interpretar el estado mental de un individuo porque el sentimiento de momento de un individuo es la relación de tales signos. Estos desarrollos de los ojos pueden observarse para decidir cómo se ven y se procesan los datos. Por ejemplo, si uno de los sujetos recibió alguna información sobre la sombra de su vehículo y respondió con los ojos movidos hacia la esquina superior derecha, en ese momento su respuesta es exterior. En consecuencia, si los ojos se movieron hacia la izquierda en la esquina superior , será un reconocimiento visual a medida que recuerde la sombra del vehículo. Los exámenes en curso indicaron que es menos sólido ya que incorpora numerosos elementos que lo confunden un poco.

2. **Hablar con una frecuencia sugerente de la mente humana:** pronunciar las palabras cerca de los latidos del corazón humano, es decir, de 45 a 72 latidos por

cada momento, que podrían provocar un estado superior de sugestión en la mente.

3. Pasar por alto la mente **consciente mediante el rollo de voz:** esta técnica es el procedimiento del rollo de voz, un estilo de ritmo diseñado que excava en el punto ideal de esta manera, pasando de la mente consciente a la mente subliminal del individuo. Esto se termina acentuando la palabra ideal en un estilo de diseño lúgubre.

4. Construyendo sutilmente la relación con facilidad: Los talentosos profesionales de la PNL utilizan el lenguaje ofensivo para mejorar la sugestión. La compatibilidad contigo se desarrollará analizándote intensamente, y posteriormente imaginando tu lenguaje corporal en una estructura simple , haciéndote cada vez más indefenso frente a sus propuestas.

5. Hacer un ancla y programar de manera sublime la mente: Esta es la manera de hacer un forcejeo en ti, con el objetivo que los hace simples para colocarte en un estado específico simplemente tocando o contactando y programando sublimemente la mente.

6. Manera convincente de usar las palabras calientes: Los profesionales de la PNL utilizan un ejemplo específico de palabras que parecen ser típicas pero que son cada vez más sugerentes y tolerantes. Las palabras calientes que se asocian cada vez más con las facultades son progresivamente sugerentes. Las palabras, por ejemplo, escuchar esto, ver, sentirse libre, a largo plazo, implican, en la actualidad, como, porque, y así sucesivamente, podrían evocar inmediatamente un estado mental específico como inclinación, encuentro, visión y, además, impulsa el reconocimiento ideal. en mente. Además, utilizan ciertas palabras ambiguas para controlar sus pensamientos.

7. Una programación de la mente subconsciente interpersonal simple : mediante la técnica interpersonal , es decir, dirigiendo un algo específico, sin embargo, plante algo diferente en la mente intuitiva del sujeto.

Estas técnicas de trance clandestino pueden afectar la mente de los individuos en un grado más notable; sin embargo, no los obligue a realizar una acción de la que estén en contra, lo que puede requerir una programación importante de la mente.

Capítulo cuatro

El Control Mental y las palabras persuasivas

Existen numerosos métodos de control mental, y aquí encontrará un esquema rápido de los más normales. Espere no observar nunca el mundo con ojos similares después de leer esta parte, porque podrá echar un vistazo a numerosos componentes de su realidad habitual con otros ojos. Cuando comprenda cuáles son los métodos de control mental, todos percibirán rápidamente la cantidad que se ha convertido en una parte de las existencias cotidianas a partir de ahora.

Presión del grupo de compañeros

Este es uno de los métodos más conocidos que se está utilizando. Además, es uno que, naturalmente, está siendo utilizado por los adolescentes a partir de ahora. Todos quieren tener un lugar con un grupo específico de personas, un "clan" en particular. Cuando el grupo con el que desea tener un lugar (o solo el grupo predominante) lo pesa para cambiar su evaluación, pensar de una manera específica o hacer una cosa en particular, existe una alta probabilidad de que lo haga y piense que siente que no lo haría. No hago ni pienso sin nadie más.

Desinhibición

Durante el tiempo que pasamos en la socialización, cuando crecimos, todos aprendimos a no perseguir cada motivación de conducta que tenemos. Aseguramos y refinamos la capacidad de reflexionar y tomar decisiones conscientes. En cualquier caso, existen métodos para solucionar este tipo de obstáculos,

Recitar o cantar

De hecho, cosas tan inocuas como recitar o cantar pueden usarse como un tipo de control mental. Además, considérelo: numerosas redes religiosas utilizan algo de recitación o canto para fortalecer la conexión de la gente con su grupo.

Ritmo y conducción

Esto se hace más eficazmente en la compulsión uno a uno. El lenguaje específico y los estándares de conducta de la persona objetiva son captados y "reflejados". Muchas personas piensan que es esencialmente un loro o una réplica de las palabras o los desarrollos corporales de una persona, pero para que sea viable, debe hacerse progresivamente sin pretensiones. Si se hace bien, el subconsciente reconoce que ambos están en orden, y la otra persona sentirá como si realmente entendiera a la persona en cuestión y, por lo tanto, confiará en usted y le agradará. En ese punto, puede comenzar la parte principal, básicamente controlando hacia dónde se dirige la discusión.

Códigos de vestimenta

Honestamente, incluso uniformes escolares. Existen numerosas justificaciones válidas para los códigos de vestimenta, pero una que no muchas personas tienen en cuenta deliberadamente es que disminuye la singularidad de una persona y más bien subraya que tiene un lugar con un grupo, por lo que es casi seguro que el individuo actuará de acuerdo con las grupo. Es algo similar a las obras de arte de piel innata que han sido utilizadas por los precursores en medio de la guerra.

Ninguno de estos métodos de control mental es terrible por sí solo. Depende simplemente del objetivo final que se esté utilizando. Hay muchos más métodos de control mental. En su mayor parte, solos, su poder mental está restringido, sin embargo, cuando se unen entre sí, forman una fuerza manipuladora innovadora.

Las mejores técnicas de control mental

Autoridad: El mejor de los pioneros probablemente conoce lo mejor de las técnicas de control mental. Échales un vistazo, son muy conocidos. ¿No dirías que pueden controlar la mente de las personas? Déle una idea, mejor, tenga una perspectiva similar a la de un pionero.

Fijación: Las personas que pueden controlar bien su mente son los máximos representantes, pioneros y deportistas para dar algunos ejemplos de grupos. Lo que, sin duda, comparten a todos los efectos es un método mediante el cual pueden controlar sus mentes. Si no fuera por eso, no habrían sido el lugar en el que están hoy. La fijación y el centro son la clave.

Campeón: Piense como lo hace un vencedor. No temen perder, lo toman esencialmente como una parte de la expectativa más notable de absorber información. Un vencedor es la mejor persona que jamás hayas visto. Sea un vencedor.

Actitud inspiradora: esto es importante porque, excepto si la tienes, no tienes ni idea de cómo hacerlo. Cuanto más desinformado esté, más se inclinará a convertirse en una decepción.

Ejercicio: La mayoría de las personas piensan erróneamente que si comen bien y se concentran en lo que están haciendo, pueden lograr todo lo que deseen. En cualquier caso, el punto importante es que si no se están adaptando, no pueden dar un paseo por el esfuerzo. Practicar su mente y cuerpo es de suma importancia.

Yoga: Finalmente, estos cientos de años de información ineludible del Yoga es lo que se requiere si necesitas un control supremo sobre tu mente. Utiliza las posturas más científicas y 'kriyas' que te permitirán consumar las técnicas de control mental.

Todo está en mente: es cualquier cosa menos un truco comercial destacado. Es un procedimiento que cada individuo debe experimentar.

Utilizar el control mental de la hipnosis en usted y en los demás

Una cosa que permite que el control mental por hipnosis se destaque de otros métodos que la gente usa para reconstruir su mente subconsciente es que no está restringido a quién puede usarlo. El control mental de la hipnosis se puede usar de manera efectiva en usted mismo, pero también se puede usar de manera similar con otros. Sea como fuere, antes de que pueda utilizar el control mental de la hipnosis en usted mismo o en otros, debe tener una comprensión esencial de cómo funciona la mente subconsciente y qué técnicas funcionan mejor con el control mental de la hipnosis.

Una parte de ver cómo funciona la mente subconsciente es comprender qué es. La mente subconsciente es la parte de tu mente que maneja y controla ciertas reflexiones y actividades, en su mayor parte, las tontas. Tu mente subconsciente es responsable de la mayoría de tus sentimientos, e independientemente de lo mucho que intentes dominar, cualquiera de tus emociones es prácticamente inimaginable. Sea como fuere, si se da cuenta de cómo usar eficazmente el control mental de la hipnosis, lo más probable es que afecte a su mente subconsciente , lo que le dará control sobre la mayoría de sus emociones, pero también le permitirá influir en los demás. Probablemente lo mejor de utilizar el control mental de la hipnosis en usted mismo y en los demás es que las técnicas que usaría en otros son similares a las que usaría en usted mismo.

Una pregunta que muchas personas plantean cuando se trata de utilizar estas técnicas es si están protegidas para usarlas. La respuesta a esta pregunta es que si se usan de manera apropiada y por las razones correctas, su uso está completamente protegido, en verdad, numerosos expertos usan la hipnosis como un método para ayudar a las personas a lograr sus objetivos. Por ejemplo, alguien que ha intentado todo para dejar de fumar puede experimentar la hipnosis como último método para poner fin al patrón de comportamiento negativo. Lo que está haciendo el especialista es utilizar el control mental de la hipnosis para impactar la mente subconsciente de esa persona y permitirle dejar de fumar.

Con el control mental de la hipnosis, lo principal que debe cultivarse, independientemente de si es para usted o para otra persona, es que deben estar en un estado relajado; sin embargo, también deben concentrarse en algo que los ayude a mantenerse relajados. Quizás la confusión más significativa que tienen las personas con la hipnosis es que las personas que están bajo hipnosis están durmiendo. El quid de la cuestión es que con la hipnosis la gente está completamente despierta, sin embargo, está tan suelta que cualquier propuesta que se haga puede entrar en la mente subconsciente sin esfuerzo.

Quizás lo mejor de utilizar el control mental de la hipnosis en usted mismo o en otros es la forma en que es efectivo. Si conversa con alguien que haya experimentado alguna hipnosis, se enterará de cómo la ha transformado. La hipnosis se puede utilizar para modificar la impresión que las personas tienen de sí mismas o incluso cambiar su forma de pensar. Cuando una persona está en ese estado completamente relajado, las recomendaciones que se le están haciendo deben modificarse dependiendo de lo que le gustaría lograr. Por ejemplo, si se pone en un estado inductor del sueño para ayudar a modificar cómo se considera a sí mismo una vez en el estado relajado, deberá sintonizar las cintas que envían un mensaje positivo sobre usted.

No obstante, aunque el control mental por hipnosis puede ser beneficioso, también tiene algunas derrotas. Antes de utilizar la hipnosis en usted mismo o en otras personas, necesitará descubrir cada vez más los impedimentos para garantizar que está tomando la decisión correcta. Un aspecto sumamente terrible con respecto a la hipnosis es que la gente abusa de ella, la usa para hacer que otros hagan cosas que no están bien, o la usan para engañar a estas personas. Sea como fuere, cuando las personas adecuadas lo usan por las razones correctas, es quizás el mejor aparato que existe.

El control mental de la hipnosis está bien para que lo use cualquiera, no debería ser posible ningún daño duradero para usted ni para los demás, siempre que se use por las razones correctas. La hipnosis debería ser posible para casi cualquier persona que sepa cómo, sin embargo, si no hay problemas de broma que deban manejarse, se prescribe consultar a un hipnoterapeuta debido a la rapidez con la que pueden aventurarse en su mente subconsciente.

La utilización adecuada del lenguaje es uno de los cinco componentes principales de la presentación del discurso persuasivo. Los adjetivos pueden incluir matices al dar un discurso o presentación de ventas. Al utilizar un truco de memoria sencillo, la lista de adjetivos más utilizados se puede recordar mientras se habla con los clientes potenciales o se redacta una carta de ventas persuasiva.

MEJOR abreviatura condensa la lista de adjetivos persuasivos:

Mejor

Sencillo

Básico

Cima

Utilice la palabra "mejor" para escribir una buena carta de recomendación

Lista de adjetivos que comienzan con B- - palabras positivas:

Hermosa

Brillante

Enorme

Mejor

Ventajoso

Valiente

Brillante

Dar discursos fácilmente usando la palabra "simple"

Casi todo el mundo está de acuerdo en que la importancia de hablar en público es inducir el liderazgo. La mayoría de los discursos persuasivos tendrán esta palabra "Simple" para generar intriga y deseo. Aunque hay muchas palabras diferentes para la palabra "Simple, por ejemplo, sin inconvenientes, fácil, sin esfuerzo, relajado y sin problemas, todavía funciona en el universo de hablar en público, ya que es sencillo".

Una lista más de adjetivos fascinantes que comienzan con E

Exquisito

Productivo

Convincente

Errático (poco convencional)

Variada (diversa)

Perfecto

¿Cómo hacer una buena presentación de ventas? Utilice la palabra "básico"

Las presentaciones excelentes incluyen palabras potentes y un uso razonable del lenguaje. La palabra "Básico" es una de las palabras más poderosas del idioma inglés, que es una palabra equivalente para facilidad y sencillez.

Adjetivos que comienzan con S:

Cierto

Moderno

Comprensión

Sin restricciones

Dulce

Eficaz

Representando palabras que empiezan por T:

De confianza

Capaz

Equipado a medida

Melodioso

También

Tanto al redactar como al hablar, al utilizar las palabras adecuadas se obtiene una mayor claridad y precisión en la discusión, que es uno de los componentes de las habilidades de colaboración. Para usar las palabras correctas, uno debe recordar la jerga con el objetivo de que esté rápidamente en el cerebro y pueda usarse precipitadamente. Los ayudantes mentales son probablemente los enfoques ideales para recordar y mantener los datos en la memoria a largo plazo . BEST es uno de esos modelos de ayuda mental que ayudan a los vendedores a recordar los adjetivos más utilizados en el idioma inglés. Esta lista de adjetivos persuasivos vendrá convenientemente durante presentaciones de ventas comerciales y discursos persuasivos. Lo más importante es que solo toma un par de momentos recordar estos adjetivos más comunes: MEJOR.

¡Hay palabras seguras que pueden ser persuasivas, o no obstante convincentes! Use estas palabras, y su composición entregará una mayor cantidad de lo que desea ... el lector hará el movimiento que ha establecido ante ellos.

Aquí hay una lista de palabras poderosas y persuasivas que debe usar al escribir para persuadir a su lector de que haga un movimiento:

sencillo, bueno, mejor, salvado, garantizado, demostrado, efectivo, protegido, nuevo, mejorado, resultados, reclamo, gratis, tú, tu, oportunidad, bienestar, aventura, amor, revelación, bienestar, certificado, genuinos sentimientos de serenidad, presupuestario seguridad, imaginar, molestarse gratis, restaurar, revivir, reevaluar, en un instante, as, amplificar, atrapar, vencer, caracterizar, convertir, hacer, cancelar, mantenerse alejado de, ayudar, fabricar, copiar, romper, despertar, sobrevivir, beneficio , romper, simplificar, abordar, cambiar, liberar, ganar, tocar, producir, centrar, porque, rápido, reembolso, restringido

¡Vaya, una lista significativa! Hay muchas más palabras poderosas que te permitirán componer con influencia, leer cualquier copia de ventas que encuentres, para más ideas.

Al componer una pieza persuasiva, utilice el mismo número de palabras persuasivas que pueda encajar en la progresión de su composición. No deberían sonar desgarbados o porque no tienen lugar. Su composición debe fluir constantemente y sonar natural ... ya sabe, similar a su conversación con un compañero o pariente.

Palabras persuasivas que convierten y venden

El objetivo del juego en el negocio de la publicidad en Internet es realizar ventas. Uno de los mejores métodos para generar ventas es utilizar una página de ventas. La mayoría de las páginas de ventas convierten alrededor del 1% si la página total genera ventas. Si su página de ventas cambia a una tasa mucho menor al 1%, lo más probable es que deba hacer algunos cambios. Uno de los mejores movimientos que puede hacer es agregar palabras cada vez más persuasivas a su copia de ventas. Las mejores páginas de ventas hacen un uso excepcionalmente viable de estas palabras persuasivas.

Entonces, ¿cuáles son estas palabras secretas que convencen? Una investigación realizada en una universidad destacada ha identificado 12 palabras a las que la gente reacciona. Las cinco palabras iniciales tienen que ver con los deseos humanos esenciales. Los deseos son necesidades entusiastas y necesidades que siempre están preparadas para reaccionar ante algo.

Estas palabras, cuando se les presentan a las personas, se registran con sus sentimientos y casi las instan a concentrarse y reaccionar. Los cinco iniciales son Salud, Amor, Dinero, Seguridad y Ahorro. La utilización de cualquiera de estas palabras al describir las ventajas de su artículo atraerá la atención del lector debido a su apasionada intriga.

El examen también encontró que a las personas les gusta encontrar nuevos pensamientos e ideas. Además, por razones desconocidas, los términos: Nuevo, Descubrimiento y Avance son palabras excepcionalmente persuasivas. Estas palabras deben ser utilizados en la sección principal o dos de sus ventas pieza de interesar a su lector y lo impulsan a leer sobre.

Otros términos persuasivos inculcan la convicción de que todo es bueno y de credibilidad en el lector. Estos términos son fáciles, garantizados y comprobados. Estas palabras persuasivas pueden infundir confianza en su lector.

La última palabra persuasiva que hace una lista es la palabra Tú. El ejemplar de mejor venta conversa con el lector como si fuera un viejo compañero. El uso sucesivo de la palabra "usted" hace que el lector se sienta agradable y tranquilo. Al realizar cualquier compra, todo el mundo debe reconocer cómo podría beneficiarles esto. Al decírselo en un estilo agradable, informal y bien dispuesto, su lector es sustancialmente más propenso a realizar esa compra y presionar el botón de "compra".

Entonces, si sus páginas de ventas no cambian como usted confiaba, intente utilizar estas palabras persuasivas que han demostrado que cambian y venden.

Encantamiento Palabras persuasivas con gran poder de persuasión que pueden brindarle riquezas y éxito instantáneos

Encantamiento Palabra persuasiva 1: Seguro

¿Por qué es poderoso?

Este bienestar debe manifestarse en cosas tales como una inclinación por la estabilidad profesional, la necesidad de tener cuentas bancarias, necesitan estrategias de protección para asegurar a los familiares y un alijo secreto para ser utilizado en circunstancias de crisis. Podemos razonar que la gente estima el bienestar más que cualquier otra cosa. Entonces, cuando note la palabra "seguro" en su correspondencia, automáticamente hará que una persona ofrezca necesidad de lo que está diciendo. Esta es una de las palabras persuasivas más potentes que pueden, sin gran impacto, persuadir a alguien para que le diga "SÍ".

Encantamiento Palabra persuasiva 2: Nuevo

¿Por qué es poderoso?

Hará que las personas se vuelvan curiosas y ansiosas por comprender qué cosas, pensamientos y consejos nuevos hay para ellos. Esta palabra podría ser una de las palabras de composición persuasiva más potentes. En cualquier caso, si has desilusionado a las personas que te rodean de antemano, tal vez no les intrigue saber lo que estás pasando. La clave aquí es transmitir y superar los deseos de la gente de manera consistente. Cuando te relacionen con cosas increíbles y te vean como una persona que siempre superará sus deseos, les gustará trabajar juntos o escuchar algo nuevo de ti una vez más.

Encantamiento Palabra persuasiva 3: Amor

¿Por qué es poderoso?

Como debería ser obvio, una de las necesidades esenciales del ser humano es dar y recibir amor. Por lo general, las personas se asocian para amar con abrazos de los tutores, besos de los cónyuges y el tiempo pasó con familiares queridos. Para tus datos, el amor es una palabra apasionante. Habla de una condición de sentimiento constructivo que las personas mostrarán a otras personas a su alrededor. Cuando notes la palabra amor, automáticamente relacionarán la palabra con algo positivo en su cerebro y los llevarán a un minuto de entusiasmo. A medida que la investigación y los estudios científicos están demostrando gradualmente que los sentimientos provocarán una ruptura general con la lógica de un individuo, hará que ese individuo se vuelva progresivamente indefenso contra la influencia.

Palabras poderosas y persuasivas que garantizan beneficios

Independientemente de que lo entiendas o no, hacer una compra, acción apasionante. Esto implica, en general, que compras cosas porque te hacen sentir mejor. Ese auto nuevo huele bien y te ves bien en él. El nuevo televisor de pantalla plana extragrande te alegra ver esas imágenes enormes e intensas en la pantalla (e incluso puede intrigar a los vecinos). En pocas palabras, cuando examina detenidamente entre varias cosas en oferta, se ve atraído hacia el artículo que lo hace sentir mejor.

Se puede comprar algo para la guardería porque se vería extraordinario como característica de su organización. Usted compra ese juego de la habitación del frente porque se siente muy cómodo y se ve fabuloso en su salón. El coche en el que estás pensando se ve bien y huele extraordinario. Las organizaciones automovilísticas no son tontas. Ese olor a coche nuevo no es algo normal; el fabricante agrega intencionalmente ese olor para mejorar las ventas. ¿Por qué imagina que todos los autos nuevos huelen lo mismo? Sin reconocerlo, la gente compra cosas por motivos entusiastas para satisfacer sus apasionadas necesidades.

Ciertas palabras poderosas y persuasivas satisfacen estas necesidades entusiastas más que otras. Al utilizar estas palabras persuasivas en sus títulos, anuncios, mensajes, funciones y páginas de ventas, puede influir de manera más efectiva en las personas para que compren y casi garantizar ganancias.

El uso de palabras sólidas y persuasivas puede mejorar significativamente sus resultados. A continuación se incluye un resumen de palabras poderosas y persuasivas. Úselos en sus títulos, anuncios, mensajes, funciones y páginas de ventas para garantizar naturalmente las ganancias.

- Asombroso
- Declarando
- Prima
- Descubrimiento
- Ventajoso
- Reducción
- Encontrar

- Sencillo
- Restrictivo
- Excepcional
- Rápido
- Libre
- Garantía
- Significativo
- Incremento
- Asombroso
- Nuevo
- Ahora
- Excepcional
- Poderoso
- Beneficio
- Demostrado
- Asombroso
- Negocio
- Misterio

Capitulo cinco

Manipulación emocional encubierta

Hay un montón de juicios equivocados sobre el término hipnosis. Numerosas personas tienen una observación antagónica debido a que varios artistas falsos utilizan una influencia similar al trance para controlar la mente del grupo de espectadores. Algunas personas evitan usar la hipnosis para convertir a una persona común en un zombi sin sentido. En verdad establecida, la hipnosis no controla la mente de una persona en esencia. Eleva su mente creativa a través de un procedimiento controlado de correspondencia verbal. ¿Cómo usaríamos la hipnosis para manejar la mente de una persona? Esta sección descubrirá algunos datos interesantes sobre la hipnosis encubierta.

La hipnosis encubierta también se conoce como hipnosis conversacional. Es un tipo de hipnosis en el que discutimos discretamente con la mente subconsciente de una persona a través de un procedimiento de discusión relajada. Una persona hipnotizada puede no entender que está siendo conducida a un aturdimiento. Constantemente, entramos en un estupor por la demostración básica de conducir un vehículo, leer un libro o no obstante ver la televisión. Cuando estamos en un expreso considerado, nuestra mente subconsciente es excesivamente sensible a desarrollos corporales discretos y mensajes sugerentes.

Para hipnotizar a alguien, necesitamos hacer que la persona con la que estamos conversando tenga una sensación de seguridad y se sienta agradable. Esto debería ser posible utilizando una voz de alivio con una tonalidad baja. La idea es hacer que se sienta excepcionalmente relajado cuando hable con nosotros. Un especialista en trance sabrá cuando alguien está en un estado de estupor cuando su frecuencia respiratoria disminuye y su respiración es larga y profunda. Este es el momento ideal para introducir algunas estancias emocionales y mensajes sugerentes e innovadores. Una persona con conocimientos de hipnosis conversacional puede lograr esto con un par de minutos de conversación tranquila.

¿Le gustaría familiarizarse con la hipnosis? Descubra cómo hipnotizar a alguien con cuidado, sin que él lo controle, aprendiendo el oficio de la hipnosis encubierta.

Familiarízate con el misterioso arte de la hipnosis encubierta para:

Hipnotizar a alguien sin que lo entienda

Haz que alguien con quien converses persiga tu liderazgo.

Persuadir a sus clientes potenciales para que compren solo sus artículos

Haz que la gente diga "Sí" a casi cualquier cosa que les hagas saber.

TÁCTICAS DE MANIPULACIÓN EMOCIONAL

1. Proyección se destaca entre las tácticas

Esta es una táctica de distracción utilizada por manipuladores emocionales y psicológicos para trasladar sus debilidades o deficiencias a otra persona. En lugar de asumir la responsabilidad por sus errores, los manipuladores preferirían que otra persona asumiera la culpa. Anticipa sus problemas a otra persona. Es una táctica psicológicamente opresiva que busca quitarles el peso de la culpa y luego colocarlo en otra persona. El punto es pintarse limpios mientras la otra persona se ve desordenada y espantosa. No suelen ser los culpables de una pésima circunstancia. Es posible que haya experimentado personas que continúan así en el viaje de su vida. Precisamente cuando una imperfección o un problema ha identificado algún lugar en el que estarán, descubren a una persona lesionada para poner toda la deficiencia.

2. El gaslighting es una técnica importante de manipulación emocional

Para gaslight, alguien debe hacerles cuestionar algo vital para ellos que sea genuino. Los manipuladores emocionales y psicológicos utilizan mucho esta táctica. Aunque de manera encubierta, plantean preguntas que te harían reflexionar incluso sobre las cosas que siempre has considerado santas. Por ejemplo, recientemente ha sido declarado el mejor suplente general de su promoción. Un manipulador emocional te haría sentir que no ocurrió o que solo estabas en la tierra de la fantasía. Actuando de manera encubierta, harían proclamas preparadas para hacerte sentir que no estás preparado para lograr ese logro. Tal vez sospeche que lo utilizan o lo socavan en una asociación con ellos. Harían preguntas que le harían sentir que el maltrato simplemente está ocurriendo en su mente creativa y que está muy lejos de ser genuino. Esta es una de las razones por las que muchas personas permanecen en una relación desafortunada, a pesar de ver señales de advertencia para detenerse. Los especialistas han propuesto que para luchar contra esta táctica de manipulación emocional, las personas pueden necesitar informar sobre sus encuentros y acontecimientos de la vida y después de eso siempre aluden a ello, para que un individuo peligroso no les dé incertidumbre ni siquiera de su realidad algún día.

3. La negativa se encuentra entre las tácticas de manipuladores emocionales

Es un desafío separar la mentira, el rechazo y la mutilación de hechos de la manipulación emocional. Aunque un manipulador no siempre esté en contra de la realidad, su supuesto reconocimiento de ella es para satisfacer su necesidad de controlarte más adelante. Como parte de sus técnicas, consentirán en un hecho para luego negarlo. Esta conducta no es de ninguna manera, ni forma ni constituye un percance. Sabían desde el principio que podría surgir un problema que probara su capacidad y, considerando todo, están configurados para negar constantemente tener una coincidencia con usted en cualquier caso.

4. Entre sus técnicas es Para intimidarle

Si un manipulador emocional lo ve como un riesgo, aplicará la técnica de aterrorizarlo para calmarlo. Parte de la técnica es permanecer excepcionalmente cerca de ti y hablar de una manera que consolide la contundencia con los matices. Ellos investigan tus ojos con una comunicación no verbal anormal, por lo que pasas por alto tu línea de razonamiento o terminas una discusión con ellos. Esta técnica es la más utilizada por ellos cuando han entendido que usted está efectivamente engatusado o asustado. Revise que hemos configurado previamente su táctica base para identificar su punto débil con el objetivo de que puedan ganar con él. Cuando se dan cuenta de que estás asustado, aterrorizado o que estás en peligro son algunas de las técnicas que se utilizarían continuamente en ti. Una forma de salir de esta solución es conquistar sus sentimientos de pavor y descubrir cómo enfrentar el terror. De hecho, como paso preparatorio , debe evitar revelar sus sentimientos de temor o deficiencias a alguien en quien no puede confiar. Es posible que lo utilicen en su contra más adelante. Acérquese a las personas para obtener ayuda donde y cuando la necesite, pero nunca les haga sentir que está ansioso por nada, de ninguna manera ellos.

5. Es parte de sus tácticas magnificar sus problemas mientras disminuyen los suyos

Esto también se hace de forma encubierta. Los manipuladores psicológicos primero imaginan que están molestos por lo que estás experimentando y también harían una breve demostración de compasión para ocultar sus expectativas reales. Sea como fuere, los verá rápidamente planteando sus propias dificultades y ampliándolas para que las suyas parezcan insignificantes. Una forma de identificar esta táctica manipuladora es que nunca olviden que tienen un problema cuando planteas el tuyo. Es más, en lugar de acompañarlo a descubrir una respuesta a su problema, preferirían plantear el suyo y comenzar una interminable charla al respecto. Este examen indebido puede ser irritante y decepcionante al mismo tiempo porque le impide reclamar la compasión que tanto desea para entonces. Además, una vez más, parecerá estúpido por haber planteado la precaución sobre su prueba en cualquier caso. Tendrían que prevalecer en lo que respecta a hacerte sentir que solo eres intolerante; considerando todas las cosas, sus problemas no son los más terribles.

6. La manipulación emocional puede presentarse en forma de acoso intelectual

Entre las tácticas utilizadas con frecuencia por ciertos manipuladores está abrumarte con hechos académicos. Actualmente, no deje de comprender la situación; pueden no ser precisos en lo que están citando; sin embargo, se dan cuenta de que no tienes la entrada ni la oportunidad de verificar la legitimidad de sus casos. Hasta este punto, se colocan ante usted como expertos o similares para salirse con la suya. Este tipo de manipulación emocional se ve en su mayor parte en las bases presupuestarias o en los propósitos de las ofertas. No puedes afirmar sus supuestos casos, y como son encantadores, puedes enamorarte de sus tácticas sin saberlo. Quizás la mejor manera de contrarrestar la sucumbir a esta táctica sea educándose. No necesita saberlo todo sobre todo, excepto comprometerse a saber algo sobre todo. De esa forma, cuando una persona se te acerque con un supuesto hecho, además de que no te impresione, podrás prever efectivamente su legitimidad o no.

7. La digresión intencionada también forma parte de las tácticas de manipulación emocional

La desviación tiene que ver con pasar del curso ordinario del discurso a algo insignificante para el tema actual. Es una de las tácticas que utilizan los manipuladores emocionales cuando descubren que los estás considerando a cargo de una demostración o un acto. Le preguntas a alguien por qué razón válida no han limpiado el piso por el que fallaron, y te recuerdan el partido de la UEFA Champions League disputado hace unos días. Se dan cuenta de que el fútbol es tu defecto, y la mejor manera de dejar de pensar en el intercambio, considerándolos responsables, es plantear un punto de diversión de esta manera. Es por eso que debe informarse sobre las diferentes técnicas y tácticas utilizadas por estas personas crueles. En circunstancias como esta, la información previa de las técnicas de manipulación puede ayudar a evitar que sucumbas a sus acrobacias.

8. Los insultos también forma parte de tácticas de manipulación emocional

Uno de los atributos de un manipulador emocional es que tienen una suposición falsa de sí mismos que se ha levantado pero regularmente. Siempre tienen razón, mientras que todas las demás personas siguen equivocadas. De hecho, una gran cantidad de personas que entrenan la manipulación emocional son narcisistas. Asi que. Si está comenzando a desafiar su conciencia examinando sus consideraciones y suposiciones, prepárese para obtener más nombres a pesar de los que aparecen en su introducción al certificado mundial. Honestamente, si no ha descubierto cómo crear una piel intensa, se rendiría sin esfuerzo a las tácticas de manipulación fuera de la perturbación. No suena divertido ser conocido como alborotador, simplón, radical o aficionado, y con muchos nombres y títulos diferentes. La idea es demasiado mugrienta para tus objetivos y, de esta manera , calla. Una forma de transmitir esto es decirle honestamente al manipulador que protestas porque te insultan.

9. Moldear: otra táctica de manipulación emocional

El moldeado es una técnica psicológica para preparar a una criatura o incluso a una persona hacia una cualidad o gusto específicos que el entrenador necesita. Esto se haría de forma encubierta. No te darías cuenta de que alguien te está ofreciendo una idea o te está acorralando. Debido a la manipulación emocional, usted es la "cosa" que debe prepararse, y la persona que intenta hacerlo es el manipulador. La idea aquí es hacer que deseches tus cualidades subyacentes y captes las de tu manipulador. Si usted es del tipo que estima la autenticidad, un manipulador emocional le mostrará todo lo bueno de la vida como un explotador. De esa manera, comenzará a conectar los logros con muchas excelencias incorrectas. El propósito de hacer esto es que no sigas más distante de lo que estás ahora, o que pronto te falten el respeto.

10. Chismosos y acecho: grandes tácticas de manipulación emocional

En cualquier escena de manipulación emocional, el punto fabuloso es siempre controlarte. Sea como fuere, cuando parece que puede ser difícil controlarte, los manipuladores pueden cambiar sus tácticas para controlar cómo te ven o te ven las personas. Intentan lograr esto difundiendo engaños sobre ti a pesar de tu buena fe. En casos específicos, es posible que incluso necesiten un hotel para acechar, es decir, observarlo alrededor. La idea es amenazar y dar a la gente una impresión terrible sobre ti. Suponga que está involucrado con una persona que utiliza esta táctica; cuando se indicación a los que se diría un último adiós a ellos debido a su hábito horrible (s), van a eludir la difusión de mentiras acerca de usted. El hecho es que, en lugar de que las personas se familiaricen con la historia genuina, tendrían una aversión general hacia ti dependiendo de los engaños que el manipulador ha extendido sobre ti. Eres visto como una persona terrible que rompió sus corazones y engañó su confianza. Si no utiliza la clase, esto incluso puede ponerlo en contra de sus compañeros más cercanos.

11. El amor Asfixia Seguido Por Rechazo

Los manipuladores emocionales pueden bombardearlo de afecto. Su boca está cubierta de azúcar hasta tal punto que podría sentirse tentado a creer que es la mejor persona con la que quedar fascinado en el planeta. Sea como fuere, presta mucha atención a lo que dicen de su ex y percibirás cómo pintan a esas personas ante ti como si nada. Recibirás el tratamiento de un ex en un futuro próximo. En caso de duda, debe tener cuidado con un cómplice que degrada o rebaja a sus ex antes que usted para que puedan aparecer en alto o excusados. Si una relación se separa, generalmente es cuestión de los dos cómplices incluidos y no solo de una persona. La gente genuina no cabalga sobre el pasado para apreciar el presente. Cortar a una persona antes que tú para que puedas considerar que hablar como una persona santa es una técnica de manipulación emocional de cinco estrellas. En este sentido, cuando te cubran de adoración utilizando el enfoque de "acusar al ex", date cuenta de que el despido, sin duda, se producirá pronto.

12. sorpresas, especialmente Malos, son algunas de las técnicas

Aquí y allá, necesitamos sorpresas de la gente, especialmente de nuestros amigos y familiares. En cualquier caso, en manos de un manipulador emocional o psicológico, las sorpresas pueden utilizarse como un aparato para asustarte. O, por otro lado, ¿no es una sorpresa pensar que alguien mantendría una garantía solo para que le digan a la última hora que no será concebible? La táctica aquí es conseguir una posición psicológica favorable sobre ti colocándote en una circunstancia en la que no puedes hacer nada, sin embargo, cede a sus peticiones. A esa hora undécima, cuando lo más probable es que no tengas otra opción, sacarán sus pedidos egoístas para los que quizás no tengas más remedio que cumplir debido a las circunstancias. Por lo general, no se le advierte ante estas sorpresas porque se haría de una manera oculta y furtiva que le haría sentir que la persona es de confianza. La forma de evitar esta manipulación, especialmente si es un especialista, es llegar a un entendimiento legítimo antes de un arreglo. Cuando una persona no da en el blanco con respecto a la comprensión, no es necesario que sea víctima de manipulación psicológica o emocional; en su lugar, puede sin mucho esfuerzo buscar una revisión.

13. Marketing de la personalidad: otra táctica de manipulación emocional

Esto incluye a alguien que le ofrezca sus supuestas excelentes características antes de que usted se familiarice con ellas personalmente. Llegan furtivamente, tocando sus trompetas y mostrándote algo significativo sobre sí mismos cuando han detectado que es una cualidad que necesitas en un cómplice.

14. Despreciar el sarcasmo es otra táctica de manipulación emocional

Si bien parecen, según todos los relatos, hacer payasadas, los manipuladores, con frecuencia de manera incorrecta, notan las cosas con las que luchas en tu vida para que puedan hacerte poco confiable y, de esta manera, abrumarte. Ellos, por regla general, aplican esta táctica cuando ven que estás recibiendo atención o reconocimiento que consideran mejor que el de ellos. ¿Podrías imaginar a alguien haciendo bromas sobre tu prueba o la decepción matrimonial abiertamente? Estas cosas están muy lejos de ser entretenidas. Sin embargo, harían parecer como si estuvieran jugando cerca. Lo que pretenden es hacer que tu grupo de espectadores rápidos reconozcan que no eres inmaculado o que no vales tanto como ellos te ven. Quizás estés empezando a ver que una parte de tus compañeros es así; en nombre del entretenimiento, hablan de las cosas con las que estás luchando en la vida para poder callarte. La forma de conquistar esto es admitir sus defectos y declararlos (cuando sea posible) antes de que se utilicen en su contra: el ideal de nadie.

15. Otra táctica de manipulación emocional es la triangulación

Si tiene un manipulador emocional o psicológico como cómplice, es probable que esté excepcionalmente familiarizado con esta técnica. Es uno de los principales atributos de los narcisistas emocionales. La idea es aprobar sus actividades equivocadas y de mente estrecha hacia usted haciendo un plan de acción para la demostración de un extraño. La idea es hacerte sentir que eres tú quien explota. Verás también que aprueban el maltrato también de esa manera. La triangulación es una de las cualidades que caracterizan a los manipuladores emocionales. El estándar de esta técnica de manipulación emocional es ocupar su atención mirando una ocasión desagradable de un extraño o su ex para justificar su actual movimiento equivocado con usted.

16. Prueba de límites: una de las tácticas de manipulación emocional más importantes

Las personas que son manipuladores no se limitan a traspasar sus límites sin un momento de demora. Hacen lo que se clasifica como "pruebas de límites" para percibir hasta dónde pueden llegar yendo demasiado lejos. A medida que avanza, un límite cruzado sin represalias provocaría la intersección de uno más y otra vez hasta que se adentren más en su cabeza. Así es generalmente como los abusadores comienzan sus demostraciones irreflexivas. Ellos conversan contigo, condescendientemente, y muestras "una comprensión exagerada". La próxima vez, intentarían abofetearte. Si parece, según todas las cuentas, estar listo para adaptarse a eso, lo siguiente que verá es que se ha transformado en su paquete de perforación. El propósito detrás de esto fue en cada fase en la que estaban invadiendo, y usted les mostró simpatía en lugar de confrontarlos. Los especialistas han declarado que los narcisistas, que son los manipuladores emocionales más interminables, apenas reaccionan a la simpatía. A lo que prestan especial atención son los resultados de sus actividades. En esta línea, si prevalecen en lo que respecta a la decapitación y no surge nada a partir de ese momento, no se emocionan mucho con el hecho ya que para ellos fue reconocido por la persona en cuestión. 17. Decidir por los demás es otra técnica de manipulación emocional

Esta es una de las técnicas de manipulación emocional que

no está cubierto. Lo hacen para que todos puedan conocer y ver. Te señalan a propósito y tú mismo sabrás que es deliberado. No hay nada que puedas hacer que esté directamente ante ellos. Esta propensión a decidir por los demás se encuentra entre las cualidades de los manipuladores emocionales egoístas y narcisistas. Continúan sacando sus deficiencias y haciendo caso omiso de la mayoría de sus grandes esfuerzos con el objetivo de que las personas lo consideren solo una carga.

Además, esto llena su imagen de sí mismos porque, si bien deciden de manera confiable por usted, se describen a sí mismos como mejores. Una forma de ir más allá de esta táctica es separarse de las personas con esta propensión. Prohibido demostrarles cualquier pensamiento de cierto tipo; no cambiarán, y si a pesar de todo te quedas con ellos, comenzarán a influir en tu forma de vivir y actuar. Comenzarías a encajar con pensamientos y creencias miopes y estrechos de miras.

18. De vez en cuando hay silencio puede ser una táctica para la manipulación emocional

¿Qué se siente cuando tu cómplice permanece callado cuando intentas bromear con él? Lo más probable es que comiences a pensar si has logrado algo incorrectamente y tal vez comiences a censurarte por la forma en que te acercaste a ellos. La quietud inútil es un método para estimular el desorden en ti. Además, es una táctica de aceptar la prevalencia y el control sobre ti manteniéndote en pausa, por lo que estarás en su benevolencia. Durante su tranquilidad, si no ha descubierto cómo actuar con naturalidad, puede terminar decepcionado y comenzar a argumentar por su consideración. Con esto, pueden controlarte más.

19. La falsa ignorancia es una de las tácticas de los manipuladores

En algunos casos, al tratar de eludir una tarea o deber, los manipuladores le harían sentir que no tienen el aprendizaje o las habilidades para realizar la tarea que les ha asignado. Esto, en su mayor parte, ocurre en una asociación donde las tareas de los trabajadores no son fijas. Cuando su supervisor les pide que logren algo, afirman no tener ni idea de la tarea. El propósito de esto es con el objetivo de que usted, el gerente, inevitablemente complete la tarea usted mismo o la asigne a otra persona. Lo que probablemente no hayas reconocido de esto es que han prevalecido en lo que respecta a controlarte. Tácticamente descubren lo que deben hacer y lo que no. Los jóvenes que son manipuladores también utilizan esta táctica para evitar las obligaciones y tareas que les delegan sus padres o profesores. Para ir más allá de esta táctica manipuladora, intente educarlos sobre la mejor manera de realizar la tarea e incluso pídales que descubran más solos, en lugar de mitigarlos totalmente del peso. No debe ceder a sus frívolas peticiones.

20. El dominio o la afirmación del control también es una táctica de manipulación emocional

Si se le da una cuidadosa consideración a los grandes manipuladores emocionales, uno de los atributos o puntos destacados que resuenan con cada uno de ellos es el desorbitado deseo de ejercer control sobre sus desafortunadas bajas. Si están en todas partes a la vista del público, los verías intentando superar a todos haciendo todo lo imaginable para mantener el silencio o reducir sus aparentes peligros. Al tomar el control o dar órdenes a otros, los manipuladores mentales planean promover sus intenciones ocultas de mente estrecha y mantener a los demás en una servidumbre interminable. Al buscar el predominio, no actúan de forma encubierta. Sin embargo, los verá dando a conocer sus expectativas. Cuando su objetivo de lograr el control en una reunión se aplasta, observe sus respuestas cuando todos se convierten en sus enemigos y retroce

Capítulo seis

Manipulación y técnicas de hipnotismo

Técnicas de hipnosis

Inducciones hipnóticas

El paso inicial de la hipnosis, una inducción hipnótica es un procedimiento que utiliza un especialista subliminal para colocar al cliente en un estado en el que están cada vez más abiertos a la sugestión (conocido como trance). Existen numerosos tipos de inducciones.

Técnica de desenrollado

¿Por qué los especialistas piden "ponerse agradable" y dar un cómodo sofá de dos plazas de piel de becerro para sentarse? Es más que una cordialidad típica. La relajación es una estrategia estándar utilizada por especialistas y una técnica de hipnosis de aprendiz. Si el cliente está suelto, puede caer en trance y la mente está disponible para sugerencias. Seguramente conversarán con usted y estarán disponibles para sugerencias indirectas. Aquí hay algunas estrategias básicas para relajarse:

Hazte agradable

Establecer

Incluir en tu mente

Respiración controlada

Relajar y tensar los músculos

Habla en un tono delicado.

Técnica de apretón de manos

Están utilizando la técnica del apretón de manos como una forma de inducir un trance hipnótico. Los apretones de manos son el tipo de bienvenida más conocido entre el público en general. La técnica del apretón de manos aturde a lo subliminal al alterar este estándar social básico. En lugar de estrechar la mano típicamente, el inductor del trance interferiría con el ejemplo que la mente ha establecido al agarrar la muñeca o tirar del sujeto hacia adelante y tambaleante. Con el ejemplo interferido, la mente intuitiva de repente se abre a la sugestión.

Señales oculares

Hay dos círculos del cerebro: el privilegio se ocupa del lado más "imaginativo" y consciente, y el izquierdo, del "pragmático" e intuitivo. En cualquier discusión, buscamos las críticas de la audiencia para percibir cómo responden a los anuncios. Observe los ojos del sujeto. ¿Es cierto que miran hacia un lado, llegando a lo consciente o la izquierda a lo subliminal? ¿Es cierto que se centran en un elemento de la habitación? Si están llegando a la mente interior, puede sugerir que no son conscientes de ello intencionalmente.

Consejo avanzado: contacto visual insertivo

Examinar los movimientos oculares de una audiencia es un caso de uso típico. En cualquier caso, ¿se dio cuenta de que, como orador, también puede realizar una inducción hipnótica en la audiencia con los movimientos de sus ojos?

Percepción

La visualización de la habitación se puede utilizar tanto para inducir el trance como para hacer sugerencias. Por ejemplo, solicite que su sujeto recuerde una habitación que conozca. Visualiza todo sobre esa habitación: el piso, el estado de las ventanas, la creación artística en el divisor, el olor, la luz. En ese momento, muévase a una habitación con la que estén menos familiarizados. Mientras luchan por recordar las cuidadosas sutilezas, abren la mente a la sugerencia.

Consejo avanzado: use la representación para recordar recuerdos positivos y asócielos con una conducta remuneradora o para cambiar la impresión que uno tiene de una imagen negativa.

Fotografías y encuentros positivos (boda, niño, cumpleaños, graduación)

Deseche las imágenes terribles (posiblemente tírelas a la basura)

Técnica de "levitación" del brazo

Con esta ejemplar técnica ericksoniana , el cliente comienza por cerrar los ojos. Se les acerca para ver la diferencia de inclinación entre sus brazos. El especialista en trance hace sugerencias con respecto a las sensaciones en cada brazo. Por ejemplo, pueden indicar que el brazo se siente abrumador o ligero, caliente o frío. El cliente entra en trance y puede que se levante físicamente la armadura que hace pensar que ha levantado el brazo. En cualquier caso, la inducción fue fructífera.

Avanzada Tip: ¿ Para Hypnotize un cliente con levitación del brazo

Choque inesperado / caída en reversa

¡Continúe con alerta! Al igual que la técnica del apretón de manos, un sujeto que se queda aturdido puede entrar en trance. Nunca podría respaldar que se convirtiera en un tema un tormento físico, sin embargo, Erickson una vez lo demostró al aventurarse en el pie de una dama y seguirlo con una sugerencia. Una variante más leve sería la "caída de la confianza" que quizás haya conocido o en la que haya participado en una ocasión de creación de grupo. La impresión de caer al revés aturde al marco y abre la mente a la sugerencia. No obstante, uno debe asegurarse de que no abandonen el tema.

Fijación de ojos

ojo: ¿ Alguna vez te has sentido "soñando despierto" y mirando algo intrigante con respecto a la habitación mientras alguien está hablando? ¿Te perdiste lo que dijeron? Puede que hayas estado en trance.

Cualquier objeto del centro puede utilizarse para inducir el trance. Los modelos más aclamados son el "péndulo de control" o un "reloj de bolsillo oscilante", a pesar de que estos dos artículos están conectados actualmente con la hipnosis en etapa hokey. Es probable que se caiga de plano y experimente obstáculos al utilizar estos artículos, debido a su notoriedad.

Independientemente, hay dos misterios detrás de la fijación ocular. En primer lugar, el artículo mantiene involucrada la mente consciente, abriendo lo intuitivo a la sugerencia. Además, sus ojos se desgastan físicamente cuando se enfocan o se mueven hacia adelante y hacia atrás.

Modelo: Intente mirar hacia el techo durante un par de minutos (sin inclinar el cuello). Los ojos normalmente se cansan y comienzan a cerrarse.

Bodyscan

Una técnica destacada para la autohipnosis. Comenzando en el punto más alto del cuerpo con los ojos cerrados, examine gradualmente desde la cabeza hasta los pies. Observe cada sensación: su respiración creciendo en la caja torácica, un asiento en su espalda, el tormento en su codo, cada dedo expandido, los pies en el suelo. Repita el procedimiento de la base a la parte superior. Sigue mirando hacia arriba y hacia abajo hasta que entres en trance.

Consejo avanzado: el barrido corporal se puede combinar con diferentes técnicas de inducción de hipnosis, por ejemplo, respiración de cuenta regresiva y relajación para aumentar la viabilidad.

Respiración de cuenta regresiva

Es posible que haya conocido la respiración controlada para la reflexión, pero también puede ser un tipo simple de autohipnosis. Así es como funciona:

Cierre los ojos y siéntese erguido en un asiento, con los brazos sobre el regazo.

Inhala profundamente por la nariz y exhala por la boca.

Está utilizando respiraciones controladas moderadas, comenzando desde 100.

Cada exhalación se considera un intermedio.

Hacia el final, es posible que esté aturdido. De lo contrario, continúe con la actividad comprobando desde un número más alto.

Sugerencias hipnóticas

Una sugerencia es el comportamiento que desea realizar el cliente. Las ideas post-hipnóticas se transmiten después de que un individuo hipnotizado entra en aturdimiento, un estado en el que se abre progresivamente al impacto. Hay dos formas de pensar en las sugerencias.

Sugerencia indirecta

Es uno de los inductores de trance certificados más amados porque esta estrategia coloca el control en las manos del sujeto en lugar de las del dictador, con respecto a los límites del paciente y la moral clínica. Además, ha demostrado ser cada vez más convincente para sujetos que están seguros o incrédulos de un aturdimiento. A diferencia de "solicitar" un tema para desenrollar (sugerencia directa), se podría afirmar:

Es posible que desee cerrar los ojos cuando esté de acuerdo ".

Sugerencia directa

En un trance conversacional, una sugerencia directa es una orden expresa de realizar una acción específica. Aunque es sorprendente, de vez en cuando se lo considera engañoso porque, como especialista (un especialista o especialista en trance), usted tiene el control sobre el cliente. El cliente no controla la elección de cambiar el comportamiento con esta estrategia. El experimento de la prisión de Stanford fue un ejemplo escandaloso de la utilización de especialistas, permisos y sugerencias directas para controlar a los sujetos.

Aquí hay algunas sugerencias directas excelentes:

"Descansarás"

"Dejarás de fumar".

"Perderás peso".

Tono de voz

El tono de su voz es especialmente valioso al hacer sugerencias. Esto puede doblarse con diferentes técnicas (como desenrollar).

"Es posible que desee terminar suelto".

En el ejemplo anterior, "suelto" se habla de manera delicada y prolongada. En realidad, puedes hacer una sugerencia directa de forma ruidosa.

"¡Dejarás de fumar!"

Otro par ideal para el tono de voz es la técnica de perplejidad. El especialista podría cambiar el tono de voz de murmurar a gritar, hablar con un complemento diferente o utilizar un tartamudeo para confundir al sujeto.

Gatillo hipnótico

Existen numerosos tipos de desencadenantes hipnóticos. Un disparador recuerda lo subliminal de una acción o sentimiento deseado que se recomendó bajo hipnotizador. Aquí hay un par de ejemplos:

Abriendo ojos

Sonido de una campana

Chasquido de dedos

Aplaudir

Ponerse de pie o hundirse.

Abriendo una entrada

Así es como un desencadenante hipnótico podría aplicarse a la agorafobia:

"Cuando abres una entrada, puedes ver a tu querida familia en el lado opuesto".

Leer el lenguaje corporal

Comunicación no verbal

Los hipnotizadores son especialistas en la comunicación no verbal, desde leer la comunicación no verbal de un cliente hasta transmitir sus sugerencias no verbales. Mientras que un cliente podría estar diciendo una cosa intencionalmente, la mente subliminal podría contar una historia diferente. Aquí hay un par de ejemplos de cómo lo subliminal puede influir en la comunicación no verbal:

Apariciones externas

Acto corporal

Tono de voz

Ritmo

Desarrollos de ojos

Brazos cruzados

Gestos de cabeza

Cubriendo la cara

Móviles Tip: ¿ Para hacer un experto en comunicación no verbal (con el caso de ejemplo)

Lectura en frío

Es posible que haya visto a místicos, médiums, hipnotizadores de arreglos o mentalistas realizar una "lectura en frío" en la televisión con fines de diversión. Aunque normalmente es demasiado directo para pensar siquiera en usarlo con un cliente, puede utilizar la lectura en frío en una reunión o en un evento de administración de sistemas. Así es como funciona la lectura en frío. Por ejemplo, si el sujeto no está sonriendo, el inductor del trance puede preguntar:

H: "¿Eres miserable?" - Empiece por plantear una indagación general o vaga desde la percepción.

S: "Sí" - Si responden no, reinicie y plantee otra pregunta vaga.

H: "¿Alguien te ha dejado?" - Profundizar y plantear una consulta progresivamente específica. Puede ser una relación, una mascota o un pariente.

S: "¡Sí! ¿Cómo puedes saber que tu felino pateó el balde?"

Lectura cálida

Con una lectura cálida, crea una impresión que podría aplicarse a cualquiera:

"Te sientes optimista cuando los compañeros te rodean".

Lectura caliente

El tipo más desafiante, porque necesita algunos conocimientos previos sobre el individuo. Suponga que su pariente se comunicó con usted y le reveló que el individuo estaba asociado con un percance horrible. Cuando los conozca, puede concentrarse en utilizar la técnica de "recaer en una razón" porque tiene conocimiento previo sobre el evento pasado.

Desencadenantes y técnicas avanzadas de hipnoterapia

El patrón Swish

Las modalidades secundarias se pueden utilizar en "el diseño lavado", una técnica de programación neuro-semántica que se usa para relacionar o separar al cliente con comportamientos específicos. Las cinco facultades se consideran modalidades (gusto, olfato, localización, contacto, audición). Una submodalidad es un subconjunto de estas facultades. A continuación, se muestran algunos ejemplos de submodalidades :

¿Brillante o menguante?

¿Enorme o pequeño?

Sombreado o alto contraste?

¿Sonidos ruidosos o delicados?

El patrón Swish comienza con la percepción. Cuando el cliente está aturdido, el especialista en trance identifica un par de submodalidades (esplendor, tamaño, etc.). La acción no deseada es enorme, centrada y brillante en la vanguardia, mientras que la acción deseada se imagina como pequeña y desaparece fuera de la vista. En el tiempo que le toma decir "Wash" (el homónimo de la estrategia), la imagen deseada rápidamente se vuelve brillante y enorme en la mente del cliente.

Desvío

Vemos que la mala dirección se utiliza en la realidad, aquí y allá con regularidad, desde cuestiones legislativas hasta la desviación. El prefijo "mis" significa incorrecto y "dirección" está conectado a él, lo que significa que la multitud se está desviando del rumbo. Hay dos tipos de desvíos: uno es exigente y el otro es de la mente.

Una exhibición reconocible del primero sería un artista que divierte a las personas agitando una varita en su mano izquierda y luego jugando un hábil engaño con la derecha. Mientras el grupo de espectadores está mal dirigido, el animador mete un as en el hoyo, dando la impresión de que se ha "desvanecido".

La mala dirección también puede ser una representación:

"Cuando te pongas nervioso, imagina que te relajas en la costa".

Aquí, un sujeto que maneja la inquietud se desvía hacia la percepción de sí mismo en la costa. El especialista subliminal los ha dirigido de un cuadro desagradable a uno encantador.

Reencuadre

Generalmente hecho como una representación, el reencuadre le permite cambiar la visión de la participación en la mente del cliente. Por ejemplo, imagine que tiene un cliente que necesita perder peso. Permanecen adentro y juegan videojuegos durante todo el día. Podrías pedirles que describan el procedimiento para "subir de nivel" a su personaje en el videojuego: qué hacen, hasta qué punto es necesario, qué tan robusto es el personaje al principio. Y luego, "replantee" el camino para ponerse más en forma en su mente al contrastarlo con el videojuego.

"Ponerse en forma se asemeja a mejorar tu personaje en un videojuego. Empiezas moderadamente y entrenas todos los días. No ves mucha diferencia hacia el principio; sin embargo, después de un tiempo, tu 'personaje' termina más arraigado y más arraigado . "

Recaída para causar

Primero, el cliente entra en un aturdimiento profundo en el que puede encontrar eventos como si fueran completamente (también llamado sonambulismo). El especialista utiliza la representación para hacer una "conexión de influencia" donde el cliente se encuentra con un evento simplemente porque una vez más. Cuando se identifica el motivo, el especialista subliminal puede hacer sugerencias y replantear la circunstancia.

Ritmo futuro

Algo contrario a la recaída, cuando se aborda a un sujeto para imaginarse a sí mismo realizando las mejores acciones y comportamientos posibles más adelante. A diferencia de pensar de nuevo en el pasado en busca de un evento negativo fundamental, anticipa un evento con sentimientos positivos.

"Imagina que has terminado con tu discurso y el grupo está animando. Te sientes practicado y aliviado".

Amarrar

Cuando grabamos un recuerdo, la mayoría de facultades y sentimientos están relacionados. Estos son "garfios" en su memoria. Tal vez el cliente haya atado el comportamiento de fumar cigarrillos con un descanso, cena, sexo, charlas con compañeros y otros sentimientos placenteros. El inductor del trance puede recomendar nuevas estancias para un comportamiento cada vez más positivo.

Incrementalismo

Implementar una pequeña mejora es la piedra de aventura a una mucho más grande. Por ejemplo, si un cliente está intentando perder peso, el ejercicio cardiovascular diario puede ser un salto demasiado grande. En su lugar, podría proponer que comiencen con un pequeño aumento: subir las escaleras por un piso y luego saltar en el ascensor como lo harían normalmente. La semana siguiente, dos tramos de escaleras. Eventualmente, habrán trabajado hasta alcanzar el objetivo más significativo y, en general, un mejor comportamiento.

Otro ejemplo: vaya al centro de recreación una vez a la semana durante 5 minutos. La responsabilidad es tan pequeña que es un desafío quedarse corto. Probablemente terminará quedándose durante más de 5 minutos, aumentando el plazo y la medida de los días a lo largo de un mes.

Terapia de piezas

En principio, todo comportamiento es positivo aquí y allá. Lo subliminal puede justificar un comportamiento negativo con uno positivo. Un agorafóbico puede no salir porque lo subliminal planea proteger al cuerpo de los riesgos del mundo exterior. Un fumador puede lastimar su cuerpo físicamente para buscar una conversación placentera con diferentes fumadores afuera.

El cerebro se compone de numerosas partes. Con la terapia de partes, el inductor de trance habla con la parte de comportamiento para comprender con mayor probabilidad por qué se está haciendo un movimiento. En ese momento, hablarían sobre la parte original de la psique para pensar en otro arreglo. En el caso del fumador, tal vez haya otra forma de cumplir con el requisito de la asociación social: un club de lectura, una reunión de bolos. En ese momento, el asesor utiliza el ritmo futuro para fortalecer el comportamiento positivo.

Metáfora

Las metáforas son reparadoras y significativas. Erickson quería utilizar metáforas en sus libros y lecciones. Aquí hay algunas metáforas geniales:

Tu cuerpo es un vehículo. Dele el combustible correcto y funcionará bien. Si ignora el soporte y lo llena con combustible pobre, se separará.

Tu psique se asemeja a una corriente que fluye y refluye. Puede permanecer en la orilla del arroyo y verlo pasar, o puede intentar nadar contra la corriente.

Eres una montaña: sólida, inaccesible y alta.

Enlace hipnótico

El vínculo hipnótico es uno de los más amados entre los guardianes y presenta la "ilusión" de la decisión con una pregunta de uno u otro. Aquí hay un modelo:

"Está bien, ¿prefieres cepillarte los dientes o limpiarte?"

Consejo propulsado: utilice el doble vínculo para introducir dos alternativas para el comportamiento atractivo equivalente:

"Está bien, ¿prefieres ir a dormir en 10 minutos o 20 minutos?"

En cualquier caso, el joven está realizando la actividad ideal de irse a dormir.

Lógica hipnótica

Aturdido, un cliente descifra proclamas en todos los aspectos. Si le pregunta al cliente: "¿Podría sentarse?", Responderá "Sí". A esto lo llamamos lógica hipnótica.

Puede utilizar la lógica hipnótica junto con propuestas como esta:

"Puedes perder peso porque eres fructífero".

Aunque ser fructífero no significa que esté listo para perder peso, el anuncio se toma en serio.

Certificaciones y pensamiento positivo

Una certificación afirma una idea definida. En el caso de un cliente con dismorfia corporal, puede pedirle que repita en estado de aturdimiento "son hermosos" unas cuantas veces.

Reconexiones

Los recuerdos se vuelven borrosos después de un tiempo. Si bien eso puede ser útil para alguien con un encuentro negativo, los encuentros positivos también pueden difuminarse.

Las capacidades, al igual que los recuerdos, también pueden pasarse por alto. Un agorafóbico puede ignorar que hubo un tiempo en el que podían salir.

Como especialista subliminal, puede ayudar a recuperar estos recuerdos y capacidades positivas utilizando la práctica y la representación con el cliente.

Técnica 3-2-1 de Betty Erickson

Es posible que escuche criaturas aladas fuera de la ventana, el murmullo de una nevera y el tic-tac del reloj. Puede sentir el peso del asiento en su espalda, sus pies en el piso y el resplandor de la luz del día a través de la ventana. El procedimiento continúa concentrándose en dos elementos de cada sensación, y luego 1 elemento (en consecuencia, el nombre 3-2-1). En ese punto, cierra los ojos y comienza una vez más visualizando tres partes de cada sentido en su mente. Aún así, cuentas. Cuando haya llegado al último artículo, estará aturdido.

Controlar a las personas mediante el uso de técnicas de hipnosis subterráneas

Si está buscando enfoques para manipular a las personas, en ese momento, lo más probable es que sepa sobre las Técnicas de Hipnosis Subterránea y lo asombrosas que pueden ser estas técnicas para implementar una mejora extraordinaria en su vida.

Al utilizar estas técnicas, puede manipular a las personas y hacer que hagan las cosas que necesita que hagan. Como pedirle a tu supervisor que te dé un aumento de sueldo significativo, o impactar y tirar del sexo contrario para que se acueste contigo, etc. En realidad, hay una mayor cantidad de ventajas que las mencionadas anteriormente que el underground Las técnicas de hipnosis pueden lograrlo por usted.

Aparte de hipnotizar a los demás para que hagan las cosas para obtener beneficios para usted, ¿ha sentido en algún momento que también podría beneficiarse al hechizarlos para que cambien su conducta y comportamiento?

La utilización de la hipnosis clandestina espera que utilices "palabras" para cautivar a la gente mientras mantienes una conversación tranquila con ellos. Esto también se llama hipnosis conversacional. Se utilizan técnicas específicas para que pueda discutir discretamente con la personalidad subliminal de la persona a quien necesita manipular, y ellos nunca entenderán que los está fascinando.

Capitulo siete

Redes sociales y lavado de cerebro

Descripción general de las redes sociales

¿Qué son las redes sociales?

Los medios sociales aluden a los métodos de asociación entre personas en los que hacen, comparten y, además, intercambian información y pensamientos en redes y redes virtuales. La Oficina de Comunicaciones y Marketing se ocupa de las cuentas principales de Facebook, Twitter, Instagram, Snapchat, YouTube y Vimeo.

Ofrecemos una variedad de dispositivos, que incluyen asesoramiento personalizado con escuelas, oficinas y lugares de trabajo con la esperanza de moldear o mantener la cercanía actual de las redes sociales para hablar sobre los objetivos y la técnica de las redes sociales, así como ofrecer experiencias y pensamientos. Antes de crear una cuenta en las redes sociales, debe presentar el Formulario de solicitud de cuenta. Asegúrese de consultar con la oficina de correspondencia de su escuela para conocer las pautas específicas de la escuela o las reglas de marca.

Principios críticos para los administradores de redes sociales:

Las redes sociales se tratan de discusiones, redes, interactuar con la multitud y construir conexiones. No es solo un canal comunicado o un aparato de ofertas y publicidad.

La credibilidad, la confiabilidad y el intercambio abierto son fundamentales.

Las redes sociales no solo te permiten escuchar lo que la gente dice sobre ti, sino que también te permite reaccionar. Escuche primero, hable segundo.

Sea convincente, útil, aplicable y firme. Trate de no dudar en intentar cosas nuevas, sin embargo, considere sus esfuerzos antes de comenzar.

Plataformas y herramientas de redes sociales famosas:

Revistas en línea: un escenario para discursos e intercambios tranquilos sobre un tema o suposición específica.

Facebook: la red social más grande del mundo, con más de 1,550 millones de usuarios dinámicos mes a mes (a partir del segundo del último trimestre de 2015). Los usuarios crean un perfil individual, incluyen a diferentes usuarios como acompañantes e intercambian mensajes, incluidos anuncios. Las marcas crean páginas y los usuarios de Facebook pueden dar "me gusta" a las páginas de las marcas.

Twitter: una etapa de redes sociales / blogs a pequeña escala que permite que las reuniones y las personas permanezcan asociadas mediante el intercambio de mensajes de estado cortos (límite de 140 caracteres).

YouTube y Vimeo: facilitación de videos y visualización de sitios web.

Flickr: un sitio de imágenes y videos facilitadores y una red en línea. Las fotos se pueden compartir en Facebook y Twitter y otros sitios de redes sociales.

Instagram: una aplicación gratuita para compartir fotos y videos que permite a los usuarios aplicar canales avanzados, bordes y adornos a sus imágenes y luego compartirlas en una variedad de sitios de redes sociales.

Snapchat: una aplicación portátil que brinda a los usuarios la oportunidad de enviar fotos y videos a sus compañeros o su "historia". Las instantáneas desaparecen después de la revisión o después de 24 horas. A partir de ahora, no permitimos que las oficinas individuales tengan cuentas de Snapchat, pero les pedimos que agreguen a la cuenta de Tufts University.

Grupos de LinkedIn: un lugar donde las reuniones de expertos con territorios de intriga comparativos pueden compartir información y participar en debates.

Como profesional de las redes sociales, lo más probable es que a partir de ahora utilice las mejores redes sociales (Facebook, Twitter, LinkedIn) y sitios para compartir medios (Instagram, YouTube, Snapchat), junto con posiblemente un montón de otras como Pinterest y Google Plus.

Hay mucho más en las redes sociales que las principales redes sociales y redes de intercambio de medios. Mire más allá de los monstruos de las redes sociales y verá que las personas están utilizando una amplia gama de tipos de redes sociales para asociarse en línea por una amplia gama de razones.

En la misión de presentarle las mejores y más recientes noticias de las redes sociales de todos los bordes de la web, hemos descubierto una gran cantidad de redes sociales especializadas hipercentradas para todo, desde la configuración de moscas y la vida verde hasta el tejido y todo lo masculino. En cualquier caso, la recopilación de redes sociales por tema se vuelve rápidamente abrumadora y, en algunos casos, divertida. (Además, Wikipedia ahora lo ha hecho por nosotros).

Y tenga en cuenta que en algún momento del pasado, podría clasificar las redes principalmente según sus capacidades útiles (Twitter para contenido breve, YouTube para video, etc.), ese tiempo ha pasado. A medida que más redes incluyen aspectos destacados ricos como transmisión en vivo y realidad ampliada, las líneas entre sus capacidades se oscurecen y cambian más rápido de lo que mucha gente tiene la energía suficiente para leer detenidamente los cambios.

Entonces, en lugar de organizar redes como lo indican las primas de usuario hiperespecíficas o los aspectos destacados de la innovación cambiante, nos gusta pensar como anunciantes y reunir redes en diez clasificaciones generales que enfatizan lo que la gente quiere lograr al utilizarlas.

Aquí está el resumen de los tipos de redes sociales y para qué se utilizan:

- Redes sociales: conéctese con personas

- Redes para compartir medios: comparta fotos, videos y otros medios
- Debates de diálogo: comparta noticias e ideas
- Redes de marcadores y conservación de sustancias: descubra, ahorre y comparta contenido nuevo.
- Redes de encuestas de compradores: busque y audite organizaciones.
- Blogs y redes de distribución: publique contenido en la Web
- Redes basadas en intrigas: comparta intereses y pasatiempos.
- Redes de compras sociales: compre en la Web.
- Compartir redes de economía: productos comerciales y empresas
- Redes sociales desconocidas: comuníquese en secreto.

1. Redes sociales

Modelos: Facebook, Twitter, LinkedIn

Por qué la gente utiliza estas redes: para asociarse con personas (y marcas) en la web.

Cómo pueden beneficiar su negocio: permítanos ver las formas. Encuestas estadísticas, reconocimiento de marca, generación de leads, construcción de relaciones, administración de clientes... el resumen es interminable.

Las redes sociales, en algunos casos llamadas "redes de relaciones", ayudan a las personas y asociaciones a interactuar en línea para compartir información y pensamientos.

Si bien estas redes no son las redes sociales más experimentadas, inevitablemente las caracterizan ahora. Estos canales comenzaron como administraciones moderadamente sencillas; por ejemplo, Twitter fue el lugar para abordar la pregunta "¿qué está pasando contigo?" y Facebook era el lugar donde se podía comprobar el estado civil de ese encantador compañero de clase de Economía 101.

Actualmente, y particularmente desde el ascenso de la web versátil, estas redes han progresado hasta convertirse en puntos centrales que cambian casi todos los aspectos de la vida actual, desde leer noticias hasta compartir fotos de excursiones y obtener otra línea de trabajo, en un encuentro social.

Si aún no utiliza estas redes de centros como un aspecto importante de su plan de publicidad en las redes sociales, o si está buscando ideas para mejorar su metodología actual, descubrirá una gran cantidad de información útil en los asesores para Facebook, Twitter y LinkedIn.

2. Redes de intercambio de medios

Modelos: Instagram, Snapchat, YouTube

Por qué la gente utiliza estas redes: para descubrir y compartir fotos, videos, videos en vivo y otros medios en la web.

Cómo pueden beneficiar su negocio: al igual que las redes de relaciones importantes, estos sitios son esenciales para el conocimiento de la marca, la generación de clientes potenciales, el compromiso de la multitud y la gran mayoría de sus otros objetivos de promoción social.

Las redes para compartir medios brindan a las personas y la marca un lugar para descubrir y compartir medios en Internet, incluidas fotos, videos y videos en vivo.

Las líneas entre las redes de intercambio de medios y las redes sociales se están oscureciendo hoy en día, ya que las redes de relaciones sociales como Facebook y Twitter incluyen videos en vivo, realidad aumentada y otros servicios multimedia para su fundación. En cualquier caso, lo que reconoce a las redes de intercambio de medios es que el intercambio de medios es su papel característico y protagonista.

Si bien la mayoría de las publicaciones en redes de relaciones contienen contenido, las publicaciones en redes como Instagram y Snapchat comienzan con una imagen o un video, en el que los usuarios pueden optar por incluir contenido como inscripciones, avisos de diferentes usuarios o canales que te hacen parecer un conejo.

Esencialmente, en sitios como YouTube y Vimeo, el video es el método esencial de correspondencia.

Al decidir si su empresa necesita construir una cercanía en una red de intercambio de medios, es esencial pensar en sus activos accesibles. Si hay algo que las mejores marcas en escenarios como YouTube o Instagram comparten para todos los efectos, es una misión totalmente organizada y recursos de medios deliberadamente planificados, que generalmente siguen un tema específico.

Para aumentar las probabilidades de éxito de su empresa en las redes de intercambio de medios, consulte a los asesores de marketing en Instagram, Snapchat, YouTube y Vimeo.

3. Foros de debate

Ejemplos: Reddit, Quora, Digg

Por qué la gente usa estas redes: para descubrir, hablar y compartir noticias, datos y sentimientos.

Cómo pueden beneficiar a su negocio: estas redes pueden ser activos brillantes para la encuesta estadística. Si se hace bien, también puede promocionarlos; sin embargo, debes tener cuidado de mantener separados tus anuncios y publicaciones.

Los foros de discusión son probablemente el tipo de redes sociales más experimentadas.

Antes de asociarnos con los principales compañeros universitarios en Facebook, hablamos sobre la cultura popular, las empresas actuales y solicitamos ayuda en foros. Investigue el amplio alcance y la gran cantidad de usuarios en foros, por ejemplo, Reddit, Quora y

Digg, y verá que el hambre de los abiertos por información e inteligencia agregadas sigue siendo voraz.

Aquí es donde la gente va para descubrir lo que todos están discutiendo y decir algo al respecto, y los usuarios de estos sitios, en su mayor parte, no son modestos a la hora de comunicar sus sentimientos. Mientras que las redes de relaciones sociales están ejecutando medidas progresivamente para disminuir el anonimato y crear un espacio protegido en la web, los foros de discusión, en su mayor parte, permiten a los usuarios permanecer misteriosos, manteniendo una parte del "salvaje oeste" sintiéndose objetivado para caracterizar la experiencia en línea .

Esto puede hacer que los foros de discusión, por ejemplo, Reddit (la llamada "primera página de la web") y Quora sean lugares increíbles para bucear en busca de inquietudes profundas de los clientes y buenos sentimientos sin piedad. Si tiene cuidado de mantener las promociones y las publicaciones separadas, incluso pueden ser un lugar para publicitar; para cada una de las sutilezas, consulte el manual de promoción de Reddit.

4. Redes de marcadores y selección de contenido

Ejemplos: Pinterest, Flipboard

Por qué la gente usa estas redes: para buscar, compartir, compartir y hablar sobre contenido y medios nuevos y de moda.

Cómo pueden beneficiar su negocio: estas redes pueden ser muy efectivas para impulsar la atención de la marca, el compromiso del cliente y el tráfico del sitio web.

Las redes de marcadores y curación de contenido ayudan a las personas a encontrar, ahorrar, compartir y hablar sobre contenido y medios nuevos y de moda.

Estas redes son un semillero de innovación y motivación para las personas que buscan datos y pensamientos, y al agregarlos a su plan de marketing en redes sociales , abrirá nuevos canales para estructurar la atención plena de la marca e interactuar con su grupo de espectadores y clientes.

Las redes de marcadores como Pinterest ayudan a las personas a encontrar, ahorrar y compartir contenido visual. Un simple paso inicial para comenzar con Pinterest es hacer que su sitio web se adapte a los marcadores. Esto implica el avance de funciones e imágenes en su blog, así como en el sitio web para los feeds que estas redes utilizan para acceder y compartir su contenido. Asimismo, debe prestar mucha atención a las imágenes incluidas en su sitio o blog; estas son las vitrinas de los Pines, por lo que necesita que sean excelentes representaciones de su contenido.

Las redes de conservación de contenido como Flipboard son como redes de marcadores, pero con la atención en encontrar y compartir artículos y otro contenido. Puede crear su propia revista Flipboard para tratar el contenido más atractivo sobre su tema de decisión de fuentes externas y para defender su contenido.

Además, los diferentes tipos de redes incluyen marcadores y aspectos destacados de la curación. Por ejemplo, Instagram ahora ofrece aspectos destacados para que los usuarios ahorren contenido y realicen acumulaciones privadas.

5. Redes de opiniones de consumidores

Ejemplos: Yelp, Zomato, TripAdvisor

Por qué la gente usa estas redes: para descubrir, revisar y compartir datos sobre marcas, artículos y servicios, al igual que los cafés, los objetivos de viaje y el cielo es el límite desde allí.

Cómo pueden beneficiar su negocio: las revisiones positivas llevan la confirmación social a sus casos. Bien cuidado, puede resolver problemas con clientes deprimidos.

Las redes de reseñas de consumidores brindan a las personas un lugar para revisar marcas, negocios, artículos, servicios, lugares de viaje y prácticamente cualquier otra cosa.

Las reseñas son un tipo de contenido que aumenta el valor de numerosos sitios web y servicios en línea; considere la experiencia de compra en Amazon o la experiencia de buscar una empresa cercana en Google Maps. Las redes de reseñas de consumidores dan un paso más al estructurar las redes en torno a la reseña como pieza central del valor que otorgan.

Los servicios de revisión basados en áreas, por ejemplo, Yelp y Zomato continúan desarrollándose a medida que las redes sociales cercanas a los hogares adoptan la geolocalización, y más usuarios aconsejan a la web junto con sus compañeros para obtener propuestas de los mejores lugares para comer.

Hay sitios para revisar cualquier cosa, desde alojamientos y restaurantes hasta el negocio donde está considerando postularse para una ocupación, y las reseñas de los usuarios tienen más peso que en cualquier otro momento en la memoria reciente.

Es fundamental que su marca pueda atraer opiniones positivas de los usuarios y manejar las negativas. Para hacer esto, puede elegir un colega de logros del cliente para abordar las revisiones en los sitios aplicables a su negocio. Confíe en ellos para responder a cualquier consulta o preocupación de los clientes con experiencias promedio o negativas, y verifique si hay lo que debería ser posible en su conclusión para transformar un depreciador concebible en un fan.

6. Blogs y redes de distribución

Ejemplos: WordPress, Tumblr, Medium

Por qué la gente usa estas redes: para distribuir, buscar y comentar sobre contenido en la web.

Cómo pueden beneficiar su negocio: el marketing de contenido puede ser un enfoque muy eficaz para atraer a su grupo de espectadores, fabricar su marca y crear clientes potenciales y acuerdos.

Las redes de blogs y distribución brindan a las personas y las marcas dispositivos para distribuir contenido en línea en configuraciones que admiten la divulgación, el intercambio y el remarketing. Estas redes abarcan desde etapas de blogs cada vez más habituales como WordPress y Blogger hasta servicios de microblogging como Tumblr y etapas de distribución social inteligente como Medium.

Si su técnica de avance incorpora marketing de contenidos (y si no lo hace, debería pensar en ello), su empresa puede ganar permeabilidad si mantiene un blog. Un blog no solo ayuda a incrementar la conciencia de su negocio y produce un contenido más atractivo para sus canales sociales, por ejemplo, Facebook; Asimismo, puede ayudar a recortar una especialidad para su marca como cabeza de idea en su industria.

Si está comenzando con los blogs y el marketing de contenido, consulte a los asesores para iniciar un blog, hacer avanzar su blog, el procedimiento de marketing de contenido y crear contenido increíble.

7. Redes sociales de compras

Ejemplos: Polyvore, Etsy, Fancy

Por qué la gente usa estas redes: para detectar patrones, buscar marcas, compartir hallazgos extraordinarios y realizar compras.

Cómo pueden beneficiar su negocio: las marcas pueden fabricar conciencia, incrementar el compromiso y vender artículos utilizando nuevos canales.

Las redes de compras sociales hacen que los negocios basados en la web sean atractivos al incluir un componente social.

Los componentes de los negocios en Internet aparecen en numerosos tipos diferentes de redes sociales; por ejemplo, Pinterest destaca los Pines adquiribles e Instagram invita a tomar medidas en los dispositivos como capturas de "comprar ahora" e "presentar ahora". Las redes de compras sociales dan un paso más al estructurar su sitio en torno a una mezcla enfocada entre la experiencia social y la experiencia de compra.

Servicios como Etsy permiten que empresas privadas y artesanos individuales vendan sus artículos sin un área física actual y redes, por ejemplo, Polyvore totaliza artículos de diferentes minoristas en un solo centro comercial en línea, y. Polyvore es una de las redes de estilo social más grandes de la web y es un excelente ejemplo de una red destinada a coordinar la experiencia social con la experiencia de compra. La parte más importante del contenido es creada por los usuarios, quienes eligen los elementos que les gustan, hacen colecciones, los distribuyen como un conjunto y luego comparten conjuntos con diferentes usuarios.

8. Redes basadas en intrigas

Ejemplos: Goodreads, Houzz, Last.FM

Por qué la gente usa estas redes: Para asociarse con otros en torno a una intriga compartida o una actividad de ocio.

Cómo pueden beneficiar a su negocio: si existe una red para el tipo de artículos o servicios que proporciona; estas redes pueden ser un lugar increíble para atraer a su grupo de espectadores y generar conciencia de marca.

Las redes basadas en la intriga adoptan una estrategia más centrada en la estrategia que las grandes redes sociales al concentrarse exclusivamente en un solo tema, por ejemplo, libros, música o planos de viviendas.

Si bien hay reuniones y discusiones en diferentes redes que se dedican a estos intereses, concentrarse exclusivamente en una sola región de intriga permite que estas redes transmitan un encuentro personalizado para las necesidades y necesidades de las personas y redes que comparten esa intriga. Por ejemplo, en Houzz, los amantes de la moda hogareña pueden leer detenidamente los diseños de diferentes creadores, acumular su trabajo e interactuar con las personas que buscan sus servicios.

Las redes, por ejemplo, Last.fm (para intérpretes y amantes de la música) y Goodreads (para escritores y lectores apasionados) brindan además un encuentro planeado con precisión para su grupo de espectadores de especialidad.

Si sus clientes y el grupo social de espectadores comparten un entusiasmo típico (por ejemplo, si usted es una casa distribuidora), una red basada en intrigas puede ser un lugar decente para mantenerse al tanto de los patrones actuales entre los fanáticos de su industria o sus productos.

9. Redes de 'economía colaborativa'

Ejemplos: Airbnb, Uber, Taskrabbit

Por qué la gente utiliza estas redes: para promover, descubrir, compartir, comprar, vender e intercambiar productos y servicios entre amigos.

Cómo pueden beneficiar a su negocio: si ofrece el tipo de productos o servicios que se intercambian aquí, estas redes pueden ser otra forma directa de hacer negocios. (Por ejemplo, si trabaja en un alojamiento informal, Airbnb podría permitirle descubrir clientes).

Las redes de "economía compartida", también llamadas "redes de economía comunitaria", asocian a personas en línea para promover, descubrir, compartir, comprar, vender e intercambiar productos y servicios.

Y teniendo en cuenta que presumiblemente está familiarizado con redes de renombre como Airbnb y Uber, existe una cantidad creciente de redes especializadas que puede utilizar para descubrir un cuidador de perros , un estacionamiento, una cena preparada en casa y el cielo está el límite a partir de ahí.

Este modelo en línea para el comercio complementario ha resultado ser práctico y prominente en los últimos tiempos, ya que la gente comenzó a creer en las encuestas web y a sentirse bien al utilizarlas para medir la notoriedad y la calidad inquebrantable de los distribuidores y proveedores de servicios.

Si bien la mayoría de los anunciantes descubrirán que estas redes se centran en exceso o son prohibitivas, si da el tipo de artículo o servicio que se intercambia en una red específica, debe investigarlo como otro canal para generar clientes potenciales y ofertas.

10. Redes sociales anónimas

Ejemplos: Whisper, Ask.FM, After School

Por qué la gente utiliza estas redes: para balbucear, desahogarse, fisgonear y, de vez en cuando, amenazar.

Cómo pueden beneficiar su negocio: lo más probable es que no puedan hacerlo. Mantenerse alejado.

Por último, y menos, son las redes sociales anónimas. Si bien las redes sociales importantes están tratando de expandir sus esfuerzos para considerar a los clientes responsables de su movimiento social, estos destinos van al revés y permiten a los clientes publicar contenido de forma anónima. CBS New York describió a Whisper como "el lugar al que ir hoy en día para desahogarse, decir la verdad o hacerse amigo de los datos internos de otras personas", y dijo que el sitio se centra en "transformar las admisiones en sustancia".

Estas redes pueden parecer un lugar divertido para soltar un poco (por ejemplo, si eres un adolescente y necesitas quejarte de tus padres, educadores, novio, etc.).

En cualquier caso, parece que han dado un resultado gratuito al acoso cibernético y se han relacionado con suicidios de estudiantes de secundaria.

En el sentimiento, las redes sociales anónimas son una etapa hacia el comienzo salvaje de la web en el que hemos asimilado la importancia de mantener a Internet como un lugar protegido para todos. Si merece ser dicho, merece quedarse atrás.

Independientemente de si está investigando nuevos mercados potenciales para su negocio o simplemente buscando nuevos canales para asociarse con sus clientes, existen numerosos tipos de redes sociales que puede utilizar. Algunos son prácticamente necesarios para cualquier negocio; otras son útiles para un pequeño subconjunto de empresas especializadas, y algunas de las que debe evitar totalmente.

Cualesquiera que sean sus necesidades y sus objetivos, es seguro que descubrirá lo que está buscando en alguna parte de las redes sociales.

Lavado de cerebro, también llamado persuasión coercitiva, esfuerzo metódico para inducir a los no creyentes a reconocer una devoción, orden o principio específico. Un término conversacional, en su mayor parte está relacionado con cualquier procedimiento destinado a controlar la idea o actividad humana contra el deseo, la voluntad o el aprendizaje de la persona. Al controlar la condición física y social, se hace un esfuerzo por diezmar las lealtades a cualquier reunión o pueblo ominoso, para mostrarle a la persona que sus actitudes y ejemplos de razonamiento están fuera de lugar y deben cambiarse, y para crear dedicación y cumplimiento incondicional a la parte decisoria.

El término se utiliza más adecuadamente en relación con un programa de inculcación política o religiosa o remodelación ideológica. Los procedimientos de lavado de cerebro regularmente incluyen el confinamiento de ex socios y fuentes de información; una rutina exigente que requiere total aquiescencia y humildad; sólidos pesos sociales y recompensas por la colaboración; disciplinas físicas y mentales para la no participación que van desde la segregación y el análisis social, la privación de sustento, el descanso y los contactos sociales, hasta la subyugación y el tormento; y fortificación persistente.

La idea del lavado de cerebro, como sucedió en las instalaciones de detención política socialista, recibió una atención generalizada después del triunfo comunista chino en 1949 y después de las guerras de Corea y Vietnam. Más aún en los últimos tiempos, su uso anunciado en facciones religiosas de la periferia y reuniones políticas radicales ha despertado preocupación en los Estados Unidos.

La desprogramación, o revertir los impactos del lavado de cerebro a través de psicoterapia severa y enfrentamientos, ha demostrado hasta cierto punto ser fructífera, especialmente con individuos de facciones religiosas.

La profundidad y la calidad perpetua de los cambios de actitud y perspectiva dependen de la personalidad del individuo, el nivel de inspiración a reformar y cuánto sustenta la tierra el nuevo borde de referencia.

Persuasión

Ciencia del cerebro

Persuasión, el proceso por el cual las actitudes o la conducta de una persona son, sin presión, influenciadas por las comunicaciones de otras personas. Las actitudes y el comportamiento de uno también están influenciados por diferentes componentes (por ejemplo, peligros verbales, compulsión física, estados fisiológicos de uno). No toda la comunicación está planeada para ser persuasiva; diferentes propósitos incorporan informar o involucrar. La persuasión incluye habitualmente el control de las personas y, por tanto, muchos descubren que la actividad es desagradable. Otros pueden sostener que, sin cierto nivel de control social y conveniencia compartida, por ejemplo, que se adquiere a través de la persuasión, la red social termina confundida. En este sentido, la persuasión aumenta la amabilidad moral cuando se consideran las opciones.

En los colegios de Europa durante la Edad Media, la persuasión (hablar) era una de las ciencias estéticas esenciales que debía dominar cualquier hombre informado; desde los tiempos de la Roma real hasta la

Reforma, fue elevado a una obra de arte convincente por ministros que utilizaron la palabra expresada para mover cualquier número de actividades, por ejemplo, conducta idealista o viajes religiosos. En el período avanzado, la persuasión se nota más a través de la promoción.

El proceso de persuasión se puede investigar fundamentalmente reconociendo la comunicación (como la razón o la mejora) a partir de los cambios de actitud relacionados (como el impacto o la reacción).

La investigación ha provocado la descripción de una progresión de avances progresivos que experimenta una persona al ser influenciada. Se muestra inicialmente la comunicación; la persona se enfoca en él y comprende su sustancia (contando el fin fundamental que se le pide y quizás también la prueba ofrecida en su ayuda). Para que la persuasión se vea afectada, el individuo debe respetar o estar de acuerdo con el hecho del asunto que se le pregunta y, excepto si el efecto más rápido es de intriga, debe ocupar este nuevo cargo el tiempo suficiente para darle seguimiento. Un objetivo definitivo del proceso de persuasión es que las personas (o una reunión) realicen la conducta sugerida por la nueva posición actitudinal; por ejemplo, una persona se inscribe en el ejército o se convierte en sacerdote budista o comienza a comer una marca específica de grano para el desayuno.

Algunos teóricos, aunque de ninguna manera, dan forma a todos, subrayan las semejanzas entre la instrucción y la persuasión. Sostienen que la persuasión persigue intensamente la instrucción de nueva información a través de la comunicación informativa. De esta manera, dado que la redundancia en la comunicación modifica el aprendizaje, suponen que también tiene un efecto persuasivo y que los estándares de aprendizaje verbal y moldeado están general y productivamente conectados por los persuasores (como, en la sabia reiteración de los comerciales de televisión). El enfoque de aprendizaje, en general, acentuará la atención, la comprensión y el mantenimiento del mensaje.

La reacción de uno a la comunicación persuasiva depende en cierto grado del mensaje y, en un grado significativo, en el tránsito en el que uno lo ve o lo traduce. Las palabras en una promoción en papel pueden mostrar diferentes características persuasivas si están impresas en rojo en lugar de en la oscuridad. Los teóricos de la percepción consideran que la persuasión cambia la impresión de la persona sobre cualquier objeto de sus actitudes. Los enfoques perceptivos también se basan en la prueba de que las suposiciones del recopilador son, en cualquier caso, tan importantes como el contenido del mensaje determina lo que se comprenderá. El plan enfatiza la atención y el conocimiento.

Mientras que los teóricos del aprendizaje y de la percepción pueden presionar a los avances académicos asociados con el proceso de ser influenciados, los teóricos prácticos acentúan progresivamente los ángulos de persuasión emocional. Según este punto de vista, las personas tienen una imagen cautelosa de sí mismas, es decir, la capacidad de los ejercicios y creencias humanos para satisfacer necesidades personales conscientes e inconscientes que pueden tener poco que ver con los elementos hacia los cuales se coordinan esas actitudes y actividades. El enfoque útil estimaría, por ejemplo, que la preferencia étnica y las diferentes formas de vibraciones sociales antagónicas se obtienen más de la estructura de la personalidad individual que de la información sobre la idea de las reuniones sociales.

Diferentes hipótesis ven a la persona desafiada con la comunicación persuasiva como si estuviera en el fastidioso trabajo de descubrir alguna compensación sensata entre muchos poderes en conflicto, por ejemplo, deseos únicos, actitudes existentes, nueva información y los pesos sociales que comienzan con fuentes externas a la persona. Los individuos que enfatizan este modelo de compromiso (a menudo llamados teóricos de la congruencia, la igualación, la coherencia o la discordia) se centran en cómo las personas miden estos poderes al modificar sus actitudes. Algunos teóricos que adoptan este propósito del despegue enfatizan las partes académicas de la persuasión, mientras que otros subrayan las contemplaciones apasionadas.

Una expansión del modelo de compromiso es el modelo de probabilidad de elaboración (ELM) de persuasión.

ELM enfatiza el procesamiento psicológico con el que las personas reaccionan a las comunicaciones persuasivas. Como lo indica este modelo, si las personas responden a una comunicación persuasiva pensando en la esencia del mensaje y sus argumentos de apoyo, el cambio de actitud posterior probablemente será mucho más sólido y cada vez más impermeable a la contra persuasión. Por otra parte, si las personas reaccionan a una comunicación persuasiva con una reflexión moderadamente mínima, el cambio de actitud posterior probablemente será vaporoso.

Cada uno de los enfoques considerados anteriormente dará como resultado un desprecio general de al menos una etapa en el proceso de ser convencido y, en este sentido, sirve para mejorar en lugar de anular las otras. Un enfoque cada vez más mixto y comprensivo, saliendo de la hipótesis del procesamiento de la información, se ordena hacia un pensamiento del considerable número de alternativas inferidas por las partes de comunicación de fuente, mensaje, canal (o medio), recolector y meta (conducta a ser). influenciado); cada elección es evaluada por su viabilidad persuasiva en cuanto a introducción, atención, percepción, rendimiento, mantenimiento y conducta transparente.

En la ciencia del cerebro, la investigación del lavado de cerebro, al que se alude habitualmente como reforma de ideas, cae en el círculo de la "influencia social". La influencia social ocurre en cada momento de manera consistente. Es la acumulación de modales mediante los cuales las personas pueden cambiar las actitudes, creencias y prácticas de otras personas. Por ejemplo, la técnica de coherencia tiene la intención de producir un cambio en la conducta de una persona y no se preocupa por sus actitudes o creencias. Es el enfoque "Consígalo hecho". La persuasión, por otra parte, va por un cambio de actitud, o "Hazlo porque te hará sentir mejor / alegre / sano / fructífero". La estrategia de formación (que se conoce como la "técnica de la publicidad" cuando no se tiene fe en lo que se está educando) va por el oro de la influencia social, intentando influir en un cambio en las creencias de la persona, en la línea de "Hazlo porque sabes que es la mejor actividad ". El lavado de cerebro es una forma severa de influencia social que combina estos enfoques para causar cambios desde la perspectiva de alguien sin el consentimiento de esa persona y regularmente sin querer.

Debido a que el lavado de cerebro es una forma de influencia tan intrusiva, requiere el desapego total y la confianza del sujeto, razón por la cual usted, en su mayor parte, sabe sobre el lavado de cerebro que ocurre en los campos de la cárcel o en las camarillas totalizadas . El operador (el lavador de cerebros) debe tener una supervisión ilimitada sobre el objetivo (el lavado de cerebro) con el objetivo de que los diseños de descanso, la alimentación, el uso del baño y la satisfacción de otras necesidades humanas esenciales dependan del deseo del especialista. En el proceso de lavado de cerebro, el especialista separa metódicamente el carácter del objetivo hasta el punto de que ya no funciona. En ese momento, el especialista lo reemplaza con otro arreglo de prácticas, actitudes y creencias que funcionan en la condición actual del objetivo.

Si bien la mayoría de los analistas aceptan que el lavado de cerebro es concebible en las condiciones adecuadas, algunos lo consideran poco realista o, al menos, como un tipo de impacto menos severo de lo que los medios de comunicación describen. Algunas definiciones de lavado de cerebro requieren la proximidad del peligro de daño físico, y bajo estas definiciones, la mayoría de las facciones radicales no practican un lavado de cerebro genuino, ya que generalmente no abusan físicamente de los reclutas. Los diferentes significados dependen de la "compulsión y el control no físicos" como un método igualmente viable para afirmar el impacto. Independientemente de la definición que utilice, numerosos especialistas aceptan que incluso en condiciones perfectas de lavado de cerebro, los efectos del proceso están presentes regularmente en el momento: la antigua identidad de la víctima del lavado de cerebro no es en realidad destruida por el proceso, sino que, en cambio, está aislada de todo y una vez la "nueva identidad" deja de fortalecerse. Los viejos estados de ánimo del individuo y las convicciones comenzarán a regresar.

El control mental (también llamado lavado de cerebro, influencia coercitiva, mal uso de la mente, control del pensamiento o cambio sentido) alude a un procedimiento en el que una reunión o un individuo "utiliza de manera eficiente métodos engañosamente manipuladores para inducir a otros a adaptarse a los deseos del manipulador (es) , con frecuencia al impedimento de que el individuo sea controlado ".

Esencialmente, es un tipo de manipulación indignante. Regularmente asociamos la capacitación con religiones y no pensamos en su presencia en la existencia cotidiana, sin embargo, las técnicas utilizadas en el lavado de cerebro son la mayor parte del tiempo utilizadas por patrocinadores, redes de noticias, legisladores y otros.

El manipulador le ofrece varias decisiones, pero todas las decisiones conducen a un final similar.

Un pensamiento o expresión similar se repite con frecuencia para asegurarse de que se quede en su mente.

El alojamiento de información extraordinaria se realiza proporcionándole fragmentos cortos y constantes de información sobre diferentes temas. Esto lo entrena para tener poca memoria, hace que la medida de la información se sienta abrumadora y el manipulador dio las respuestas apropiadas para ser excepcionalmente deseado debido a lo dominado que se siente.

La manipulación emocional se utiliza para colocarlo en un estado elevado, ya que esto hace que le resulte más difícil utilizar la lógica. La inquietud y la indignación que provocan se encuentran entre los sentimientos controlados más conocidos .

Al leer este resumen, es probable que esté listo para pensar en un par de casos de estas técnicas. Los canales de noticias y los grupos ideológicos repiten regularmente un mensaje predecible cuando necesitan expresar lo que tienen en mente. Los fragmentos cortos de información también son una estrategia típica en las redes de noticias. A los promotores les encanta ofrecer decisiones que conducen a su artículo, y la manipulación emocional es normal en las personas que experimentará al igual que en muchos tipos de medios, incluso medios aparentemente (y de vez en cuando realmente) inocuos como el cine. Estas técnicas están por todos lados. No te están transformando en un zombi; sin embargo, están iluminando a muchos con respecto a sus decisiones. Afortunadamente, puede evitarlos si es proactivo.

Instrucciones para evitar las técnicas de lavado de cerebro

Evitar las técnicas de lavado de cerebro con frecuencia incluye evitar los mismos lavados de cerebro; sin embargo, esto es incomprensible. Aceptar la promoción, por ejemplo, no puede evitarlos a todos y esforzarse por hacerlo puede resultar algo costoso si, a pesar de todo, necesita mirar la televisión y las películas. Tu opción más lógica es eliminar lo que puedas y, cuando no puedas, buscar la ecualización. Con frecuencia, descubrir la paridad es más fácil si se proporciona la información que necesita. Todo lo que tienes que hacer es el acompañamiento:

Identifica el mensaje manipulador que has recibido.

Busque un mensaje de restricción, independientemente de si es manipulador o no. Asimismo, esfuércese por localizar el registro más imparcial y no partidista de ese mensaje equivalente.

Piense en sus diferentes fuentes y elija cómo se siente.

El lavado de cerebro, independientemente de si es suave o escandaloso, es concebible en gran parte debido a la desconexión. Si escuchas el mensaje adoctrinado todo el tiempo, y de vez en cuando (o nunca) te abres a opciones, sin duda estarás obligado a reconocer lo que escuchas sin especulaciones. Si necesita evitar las técnicas de lavado de cerebro examinadas en esta publicación, su opción más sólida es rodearse de una variedad de información en lugar de simplemente conformarse con el mensaje que lo hace sentir bien. Eso es con frecuencia lo que pretende hacer el mensaje.

A continuación se muestran algunas de las realidades que destacan la importancia de las redes sociales.

Atributos de las redes sociales: A continuación se discuten algunas de las cualidades que hacen que las redes sociales sean tan notables.

Las redes sociales están abiertas, y también es el objetivo de reunión del grupo de espectadores astutos de la web de hoy.

Una parte significativa de la edad más joven, los adolescentes y las personas de edad moderada, son un nivel real de la población total de clientes de redes sociales.

Las redes sociales abren posibles resultados de acceso directo a los clientes sin mediación externa.

Promocionar a través de las redes sociales es bastante rentable cuando se compara con los gastos ocasionados por la impresión, la televisión u otros medios habituales.

Las redes sociales también ayudan en la mejora del diseño del sitio y el incremento en la clasificación de los sitios de cualquier organización.

Los atributos anteriores son significativamente importantes para cualquier empresa en el mundo actual. El nivel de comunicación y el compromiso de los clientes van a diferentes niveles cuando se utiliza este medio. Preguntando por qué? Aquí hay un modelo.

Piense en un canal que presenta un nuevo detergente para la ropa o recién salido de la nueva cafetería de plástico, en su buzón de correo al ver un video de un avance similar en su cuenta de YouTube. ¿Cuál parece ser más intrigante?

¿Cuál en general llamará su atención y lo llevará significativamente a comprar ese detergente para la ropa o visitar esa cafetería para percibir lo que traen a la mesa? Sin duda, es el video. Los volantes sin vida que se encuentran en su buzón se pueden tirar efectivamente a la basura.

¿Por qué pasó esto?

El factor de consistencia es alto. ¿Con qué frecuencia ha visto un tiempo limitado, incluso todo papel de aspecto experto, tirado en el buzón? Cuando un método único no resulta sorprendente para un cliente, automáticamente resulta ser apenas perceptible relacionado con la sustancia.

Al exhibir algo excepcional y esencial, los clientes estarán obligados a dar su completa consideración al mensaje que se intenta transmitir. Los métodos de presentación ordinarios, agotadores y nada sorprendentes hacen que los clientes potenciales tengan la impresión de que el avance es lo mismo o diferente, independientemente de cuán gráficamente acogedor se vea y se sienta.

Un método de marketing anticipado no llama tanto la atención como uno errático. Asombrar o asombrar a los clientes potenciales es una estrategia increíblemente útil, ya que puede mantener la atención incluso de sus clientes más establecidos, a pesar de captar la atención de nuevos prospectos.

Como anunciante, es posible que nunca se reciba un mensaje que deba transmitir a su base de clientes si el método de transporte elegido no es estimulante ni atractivo para su mercado objetivo.

La intensidad de las redes sociales en el mercado actual: las redes sociales con sus grabaciones virales, sitios y artículos, tiene más allá de lo que podría conocerse como una rotación sustancial de ideas imaginativas que mantienen a los clientes involucrados y siguen llamando su atención.

No es extraño que las mujeres (también los hombres, obviamente) pasen por alto un artículo de revista web sobre adornos pasados de moda y que cuando llegan a la parte del trato, han decidido conseguirlo.

Con ayuda cedió en el cuerpo del artículo o en la parte de la oferta, tanto hay una conexión a la tienda de gemas en línea. ¡Misión cumplida! Cinco minutos de leer detenidamente algo de su ventaja y el cliente está preparado para comprar. Eso es una broma, que caracteriza la intensidad de las redes sociales en el mercado actual.

Desde gigantes de todo el mundo como Microsoft, Apple, Amazon hasta pequeños restaurantes prácticamente a la vuelta de la esquina y pequeñas empresas privadas están utilizando las redes sociales como escenario para identificar y contactar a sus grupos de interés previstos.

Cada vez más anunciantes electrónicos que son nuevos en el campo, están afinando sus aptitudes para desarrollarse como profesionales maestros del marketing de sistemas sociales.

Todo el avance está enfocado a lograr destinos de marketing social y lograr y mejorar esa tasa de rentabilidad garantizada (ROI). En este interés, se ve a los anunciantes preguntando sobre el medio y monitoreando a los espectadores para construir destinos prácticos antes de definir la estrategia y actualizar las herramientas para lograr esos objetivos.

Las redes sociales se han incluido en el plan de estudios de las principales escuelas de negocios

El poder y la importancia de las redes sociales en el mundo de hoy son hasta tal punto que se han incorporado al programa educativo de prácticamente cualquier tipo de escuela en todo el mundo.

Singapur es un caso ideal de una nación que percibe la importancia de la innovación que se encuentra en el creciente número de universidades en Singapur que están coordinando investigaciones de Social Media Marketing con sus Programas de Maestría Ejecutiva. El cambio de este presente probablemente permitirá a los alumnos abordar las dificultades de las redes sociales al igual que cómo beneficiarse de este nuevo modelo de marketing y comunicación.

Los expertos y funcionarios comerciales que buscan aumentar una comprensión significativa de una marca, los ejecutivos y el marketing en Internet pueden descubrir cómo utilizar la intensidad de las redes sociales para sus negocios y asociaciones.

Aventis School of Management, que dirige la escuela de negocios en Singapur, ofrece un Certificado de Posgrado Profesional en Marketing de Redes Sociales. Son los funcionarios adversarios excepcionalmente estructurados los que necesitan comprender completamente las sutilezas de este tipo fundamentalmente diferente de comunicación corporativa.

El número de escuelas en Estados Unidos persigue la demanda. College of Washington ofrece una Maestría en Comunicación en Medios Digitales, la Universidad de San Francisco proporciona un Certificado Avanzado de Marketing en Redes Sociales, la Universidad del Sur de New Hampshire ofrece un MBA en Marketing de Redes Sociales, y muchos otros. En cuanto al tiempo dedicado por los clientes web, los sitios de redes sociales y las revistas web están encabezando la lista, con juegos en línea y administraciones de mensajes de texto siguiendo su ejemplo.

Ventajas de las redes sociales

1. Sin fronteras geográficas

Los límites geográficos no pueden evitar que las redes sociales se pongan en contacto con personas, prospectos y clientes de todo el mundo. Cualquiera que tenga presencia en línea puede enfocarse. Si es un rastreador de cabezas o una empresa de asesoría, ¿no sería agradable extender su alcance a escala mundial y comenzar a hacer crecer su negocio y una parte del pastel comenzando a servir a clientes de todas partes del mundo?

2. Mayores ventas, mayores ganancias

Centrarse en los clientes de todas partes del mundo crea acuerdos y hace que sea casi seguro que sus objetivos de acuerdos progresivamente ansiosos se cumplirán. Las empresas con sede en la administración pueden aprovechar especialmente la condición casi gratuita de las redes sociales que pueden dar una presencia mundial.

3. Manténgase al tanto de las tendencias globales actuales

Con toda probabilidad, la mayoría de sus competidores a partir de ahora tendrán presencia en línea o planean fusionar los sistemas de marketing de redes sociales en sus negocios. Independientemente de si usted y sus competidores no están ejecutando actualmente una estrategia de redes sociales, tenga en cuenta que, considerando todo, pronto sus competidores comenzarán a hacerlo rápidamente.

4. Presupuestos de marketing

Si ha comenzado recientemente su negocio, ya sea una cafetería, una lavandería, una organización de mudanzas, prestando poca atención al campo en el que está trabajando, puede disminuir el peso de los fondos de los ejercicios de marketing al llevar su marketing en línea.

Los esfuerzos de marketing en línea son considerablemente menos costosos en ese punto, las cruzadas de los medios impresos que se unen regularmente a la publicidad de espectáculos en los periódicos del vecindario al igual que las publicaciones periódicas nacionales. Otro margen de maniobra de la sobreimpresión de las batallas en línea tiene que ver con la afectación del tiempo, donde los avisos adquiridos en periódicos y revistas tienen un período de presentación poderoso y limitado.

Las promociones en línea son visibles para los clientes siempre que las empresas quieran que estén con períodos de tiempo que duren de días a años.

5. Comunicación ... Tráfico bidireccional

Las técnicas de marketing habituales, normalmente recibidas por empresas de pequeña escala, implican dejar cartas por tiempo limitado, volantes, folletos y diferentes tipos de transmisión de mensajes de marketing, en buzones, impresos, radio y televisión o colocarlos en otras "áreas". Este tipo de conversaciones con los clientes son comunicaciones completamente desiguales en las que solo la empresa tiene un comentario.

Al analizar una estrategia de redes sociales, se abren las puertas a los clientes para que den su opinión, al igual que se pueden concebir puertas abiertas para el intercambio directo con un agente corporativo a través de Facebook. Los esfuerzos de las redes sociales dan a las organizaciones un carácter computarizado y brindan una parte adicional a las poderosas técnicas de marcado.

Tienes que recibir una notificación de tus clientes. La información es el elemento vital de cualquier negocio y las redes sociales lo alientan a descubrir lo que sus clientes necesitan decir sobre usted. Cuando haya informado sobre su negocio y haya llegado a un acuerdo, debe escuchar lo que puede y debe hacer para mejorar su administración.

Otra cosa interesante es que las historias de administración fructíferas y los clientes satisfechos tienen una mayor probabilidad de difundir la noticia a otros solos al lograr que su organización tenga presencia y carácter en las redes sociales . Las redes sociales son la clave para la comunicación bidireccional y procedieron con logros expertos.

Capítulo correo vuelo

Control mental en relación

1. Elija sabiamente sus resultados

Un hombre concentrado no es un amante. Una dama sin un centavo no es pareja. Un acompañante que está en una emergencia no es un acompañante y los tutores que están ocupados continuamente no están cumpliendo con su responsabilidad.

Es tan natural darle a la vida la oportunidad de dirigir tu destino. Un cónyuge enfocado terminará soltero. Una pareja indigente terminará triste. Un compañero en una emergencia se convertirá en un adversario y los guardianes que siempre están

en movimiento verán cómo
sus ocupaciones desperdician otra vida.

Para gestionar tu destino aplica tu impacto sobre tu cuerpo. Hágalo su suplente, no su educador.

Al determinar lo mejor para su cuerpo, debe determinar lo que necesita. Si necesita placer, en ese momento determine que esta es su necesidad número 1 y, por favor, no se queje de que es gordo, indeseable o espantoso. El placer tiene un inconveniente y un ajuste inverso llamado dolor. Todo dolor se origina en la búsqueda de diversión. De esta manera, si necesita consuelo en el cuerpo, si no es demasiado problema, reconozca la ecualización, el dolor.

Sea como fuere, si necesitas amor y relación, entonces el placer de tu cuerpo no es una necesidad. Si el placer de su cuerpo es una necesidad en la relación, entonces tendrá un placer momentáneo y un dolor prolongado.

Si necesita placer a largo plazo, en ese momento, debe reconocer el dolor pasajero, y ese dolor es solo autocontrol. Lo que entra en su cuerpo en busca de consuelo causa dolor. Lo que entra en su cuerpo por amor al bienestar y las relaciones y la familia crea solo amor y bienestar. ¿Come por diversión o para controlar el dolor entusiasta como el cansancio y la tristeza, el mal o la miseria? Si en esta línea, esa cura te va a llevar a un destino arrepentido. Ayuda de placer momentáneo, dolor de arrastre prolongado.

Determina tu resultado, el destino que necesitas. Si necesitas una relación de adoración e impulsada, come y bebe para crearla. Si necesita placer momentáneo y gratificación inmediata, déjelo salir y pruébelo. No hay nada escrito en piedra aquí, solo resultado. (licor, azúcar, expreso, lácteos, pasteles son en su mayor parte nutrientes de gratificación transitoria, la sal es la mejor)

2. Mantente independiente

En sus relaciones, habrá diferencias de opinión y estilo. Si hay alguna tensión o sentimiento de tales diferencias en ese punto, es inteligente liberarlo. Dos personas en una relación necesitan contradicción. La comprensión se agotará y sin incidentes.

Sin embargo, si tu pareja desaprueba las contradicciones, averigua cómo cerrar tus palabras, no cierres tu cerebro. Tu opinión está ponderada con la mitad de la precisión de la verdad. Por lo tanto, intente agregar su opinión a la suya y mantenga dos opiniones tan sustanciales en lugar de necesitar comprensión o su coherencia como le gustaría pensar.

Las opiniones son el lugar donde perdemos la independencia. Cuanto más obstinados somos, menos autónomos somos. Las opiniones son simplemente formas en las que el yo interior necesita crear personalidad. Si esa opinión sobre la caza de ballenas es a la vez decente y terrible, entonces no tienes carácter para esa opinión. Si, obviamente, te vuelves contra la caza de ballenas, estructuras la opinión, y esa es la premisa sobre la que montas un personaje falso. "Hostil a la persona que caza ballenas". Esto es el Ego ... y la pérdida de una idea autónoma libre, incluso en las condiciones menos favorables.

Asimismo, se puede perder la independencia en una relación a través de opiniones sobre convicciones religiosas, convicciones fundamentales y convicciones de conducta. Tales cosas son sistemas inadecuados para que viva el amor sólido.

3. Llena tus vacíos

Nuestra mente no está tan libre como podríamos sospechar. Está adaptado a un ámbito específico de razonamiento y, junto con estas líneas, el control mental resulta cada vez más fundamental cuando sabemos cómo la mente se pone manos a la obra. La mente intenta llenar los vacíos.

En este sentido, mucho amor no es amor de ninguna manera. En cambio, es el llenado de vacíos y la fascinación que se relaciona con ello.

4. Ignore los consejos que no pidió

Su cuerpo será un suplente suyo, o su instructor, o ambos. No hay ningún requisito para la exhortación considerando todas las cosas. Tu cuerpo te lo revelará cuando te equivoques, pierdas la cabeza, te vuelvas realmente sobrecargado o te desvíes del camino. Además, como suplente decente, reaccionará bien cuando lo que come, hace y cree es genuino.

Una amplia gama de personas se da su consentimiento para ser su mentor. El más notablemente terrible de ellos es tu pareja. El amor es descubrir cómo calmarse. De esta manera, si tu pareja continúa aconsejándote sobre temas sobre los que no solicitaste orientación, date cuenta de que cuanto más te sintonices, más obtendrás, y cuanto más te sintonices y obtengas, menos amado serás. La gente intenta transformar a los demás para que sea más sencillo amarlos.

Estos pensamientos sobre las técnicas fundamentales de control mental se pueden conectar tanto a las relaciones personales como a las reuniones. Los narcisistas son otra reunión que utiliza estos instrumentos de manera rutinaria.

Conseguir gente

Como cuestión de primera importancia, los sociópatas pueden leer con éxito a las personas presumiblemente, ¡porque se abrochan en ello! Su ayuda fundamental es controlar y comandar a las personas, y han elaborado un procedimiento viable para hacer solo eso.

Pueden evaluar rápidamente a las personas que los rodean, examinando sus cualidades al igual que sus defectos. Es más, cuantos más datos tengamos sobre alguien, mayor influencia tendrá en términos de control del individuo.

Tenemos un carácter privado, que es la forma en que nos experimentamos por dentro. Incorpora sus consideraciones y disposiciones, inclinaciones, valores, sentimientos, expectativas, deseos y características positivas. Además, tenemos cualidades negativas que podemos intentar esconder, en algunos casos tratamos de mejorar, y aquí y allá intentamos pasarlas por alto o ignorarlas.

El estante abierto, o persona, es la forma en que necesita que otras personas lo consideren. Es lo que descubres de ti mismo a los demás con la expectativa de que te vean con una luz decente. Intentamos expandir los bits significativos y limitar los terribles.

El tercer ángulo es la notoriedad, cómo nos observan los demás. A pesar de sus serios intentos, las personas estructuran las impresiones sobre nosotros dependiendo de sus propias opiniones, convicciones y cualidades. Tanta separación y deformación de los datos provoca más cambios en la forma en que otras personas nos ven.

Un punto importante aquí es que las personas estructuran las presentaciones iniciales de forma inmediata, regularmente cerca de conocer a alguien. A medida que pasa el tiempo, las personas buscan datos para afirmar sus impresiones subyacentes y, en general, pasan por alto los datos que niegan sus primeras presentaciones. Es una inclinación característica del liderazgo humano básico.

Técnicas eróticas de control mental para darle vida a tu dormitorio

El control mental está impactando fundamentalmente a un sujeto a través de su capacidad de propuesta. Propones de tal manera que te permita asumir el trabajo convincente y hacer que la otra persona esté de acuerdo. El sujeto comprende que usted tiene el control y actúa según sus deseos. Sabemos que se utiliza en diferentes campos, por ejemplo, en medicamentos e incluso en la excitación. En cualquier caso, hay uno para tu propia vida en casa, en tu habitación. Se conoce como control mental erótico.

Al utilizar esta técnica de manera adecuada, su pareja, que será el sujeto de sus estrategias de control, se entregará a su predominio por el placer sexual y a cambio de los sentimientos. Esta técnica puede aventurarse hasta el extremo de hacer que tu pareja sienta que eres lo suficientemente abrumador como para controlar sus desarrollos, sus contemplaciones. ¡Puede incrementar el placer sexual en su habitación liberando a su pareja de cualquier restricción y permitiéndoles cambiar su carácter en alguien que aprecia la alegría al más extremo!

Por ejemplo, una parte de los modales con los que las mujeres impactan a sus parejas masculinas para demostrarles que están intrigadas es jugando con su cabello, lamiéndose los labios y sin dejar de inflar el pecho. Es posible que la mayoría de los hombres no estén informados de que las mujeres lo hacen intencionalmente. Sin embargo, es una técnica erótica para controlar la mente, ya que llama la atención. Esto hace que reaccione a sus necesidades y deseos.

Tales actividades también pueden cambiar sus sueños sexuales y hacer que se someta a los sueños de su pareja sin dejar de sacarle provecho a la experiencia.

Las mujeres no son, por supuesto, las únicas que pueden utilizar el control mental erótico para impactar a su pareja. Los hombres también pueden hacer varias cosas. Pueden inflar el pecho, mirar sus prendas, frotarse los brazos de su pareja con delicadeza, mirar hasta que se encuentran mirando, mirando lo suficientemente profundamente a los ojos de su pareja como para maniobrarlos en un beso. En general, estas son técnicas que utilizan los hombres para el control mental erótico.

Esta técnica de control mental puede ser tan poderosa en la cama que puede ayudar a mejorar su pico en un alto grado. Las personas, en las relaciones, también necesitan una relación sexual decente con sus parejas. Entonces, cuando las cosas no encajan fácilmente en su lugar, el control mental erótico es algo a lo que recurre.

Esta técnica de control mental es de interés para algunos adultos en las relaciones. Siempre es importante investigar sus deseos sexuales de manera similar, ya que debe investigar diferentes resultados potenciales en su vida diaria. Cuando recurre a utilizar el control mental en su habitación, es en su mayor parte la presencia de ánimo lo que debe usar. Descubre cómo comprender el lugar seguro de tu pareja e intenta comprender su lenguaje corporal. Mantenerlos agradables es considerablemente más importante que aprender su lenguaje corporal. Es porque una vez que alguien es amigable, puedes impactarlo para intensificar cualquier encuentro sexual que tengas en la cama.

Capítulo nueve

Psicología subliminal y oscura

El impacto subliminal y la información subliminal son términos que se utilizan para representar cuando los mensajes se disfrazan fuera de la vista del clamor (por ejemplo, música, comunicaciones de radio, jingles comerciales, etc.) o potencialmente imágenes para incorporar datos específicos en sus reflexiones subliminales.

Razón

La idea es que su personalidad consciente no puede reconocer estos mensajes y, de esta manera, el mandato subliminal se ingiere sin desafío en su intuición, donde puede afectar sus contemplaciones y conducta. Si puede reconocer deliberadamente el mensaje, en ese momento, no era subliminal.

¿Qué puede hacer que el mensaje sea subliminal?

Un mensaje subliminal es un signo o mensaje destinado a ir por debajo (sub) de los típicos alcances más lejanos de reconocimiento. Por ejemplo, puede ser silencioso para la personalidad consciente (por muy capaz de ser escuchado por la personalidad inconsciente o más profunda), o tal vez una imagen transmitida rápidamente y sin ser percibida intencionalmente pero luego vista sin saberlo.

La incitación subliminal es una incitación tangible que está por debajo del límite de la observación de un individuo. No puede ser visto a simple vista ni escuchado intencionalmente. Un modelo sería un impulso visual que se muestra tan rápidamente en una pantalla que un individuo no puede procesarlo, por lo que, de esta manera, ignora que ha visto algo.

¿Los mensajes subliminales afectarán sus consideraciones y conducta? De hecho, pueden. No obstante, los mensajes subliminales no pueden hacer que logre algo que no tendría ningún deseo de hacer. Para que todos puedan finalmente poner fin a su temor.

La programación de sonido subliminal está protegida para su uso siempre que: ... En la remota posibilidad de que un programa subliminal no esté escrito correctamente, puede tener resultados inesperados, indeseables o no deseados. Esto sucede porque la personalidad consciente piensa, aprecia y procesa datos de manera única en contraste con lo que hace la personalidad intuitiva.

Los mensajes subliminales son actualizaciones visuales o relacionadas con el sonido que la personalidad consciente no puede ver, y que con frecuencia se integran en otros medios, por ejemplo, anuncios de televisión o melodías. Esta información se puede utilizar para reforzar o mejorar la conveniencia de los avisos o para transmitir un mensaje completo.

¿Serán peligrosos los mensajes subliminales? De hecho, pueden serlo, siempre que se utilicen por error o con una mano inapropiada. ... Se han realizado muchos estudios de investigación que demuestran que el sonido y el video subliminal afectan el cerebro, por lo que no se debe jugar con él, utilizarlo con malevolencia o en otras personas por una razón negativa.

Son incomprensibles para la personalidad consciente, aunque capaces de ser escuchados por la personalidad inconsciente o más profunda. Uno de los casos más conocidos de información subliminal son los mensajes que se reproducen durante el descanso. ... En cualquier caso, a pesar de estar inventado, los particulares no se contentaron en exceso con la idea de esta publicidad subliminal.

Los mensajes subliminales son estímulos que se encuentran debajo del borde de la atención consciente. ... Cualquier cambio que necesite hacer que no pueda estar enmarcado por la atención plena DEBE realizarse en el nivel de personalidad intuitiva. Las

Afirmaciones subliminales en el sonido son breves explicaciones que repiten una y otra vez.

Un mensaje oculto son datos que no se reconocen rápidamente y que deben ser encontrados o revelados y descifrados antes de que puedan ser conocidos. Los mensajes envueltos incorporan mensajes sonoros inversos, mensajes visuales ocultos y códigos simbólicos o secretos, por ejemplo, un crucigrama o una figura.

Leyes. Estados Unidos no tiene un gobierno o una ley estatal en particular que tiende a utilizar mensajes subliminales en la promoción. En cambio, son las organizaciones administrativas de difusión y difusión de la nación las que gestionan el tema y su efecto en la sociedad en general.

Cualquier cosa que un cuerpo pueda hacer normalmente, puedes convocarla con mensajes fascinantes o subliminales. Si está fuera de la capacidad del cuerpo, no puede. Para que pueda mover la digestión. Sin embargo, no puedes desarrollar alas.

Psicología oscura

La psicología oscura es el trabajo y el estudio de la manipulación y el control mental. Si bien la psicología es la investigación del comportamiento humano y es parte integral de las consideraciones, actividades y conexiones, el término psicología oscura es la maravilla mediante la cual las personas usan tácticas de inspiración, persuasión, manipulación e intimidación para obtener lo que necesitan.

Al tratar con el doctorado y examinar la psicología irregular, un término llamado "La Tríada Oscura" que alude a lo que numerosos criminólogos y analistas señalan como un simple indicador de conducta criminal, igual de problemático, conexiones rotas. The Dark Triad incorpora las cualidades de ...

Tríada de psicología oscura

Narcisismo: egoísmo, pomposidad y ausencia de compasión.

Maquiavelismo: utiliza la manipulación para engañar y esforzarse en las personas y no tiene sentido de la calidad ética.

Psicopatía: a menudo, encantador y bien dispuesto en este punto se describe por la impulsividad, el egoísmo, la ausencia de compasión y la insensibilidad.

Ninguno de nosotros necesita ser víctima de la manipulación, sin embargo, sucede con frecuencia. Es posible que no seamos responsables ante alguien específicamente en la Tríada Oscura, sin embargo, la gente común y corriente como usted se enfrenta a tácticas de psicología oscura una vez al día.

Estas tácticas se encuentran con frecuencia en enchufes, promociones web, sistemas de ofertas e incluso en los comportamientos del supervisor. Si tienes hijos (especialmente jóvenes), sin duda, experimentarás estas tácticas mientras tus hijos exploran diferentes vías de comportamiento para conseguir lo que necesitan y buscar la independencia. La manipulación clandestina y la persuasión oscura son habitualmente utilizadas por personas en las que confías y amas. Aquí hay una parte de las tácticas que usa periódicamente la gente común y corriente.

Love Flooding: cumplidos, cariño o adular a alguien para que haga una solicitud

Mentir: exageración, falsedades, realidades fraccionarias, historias falsas

Negación del amor: reprime la consideración y la calidez.

Retiro - Evitar el trato individual o tranquilo

Confinamiento de decisiones: brindar alternativas de decisión específicas que se desvíen de la decisión que no necesita que alguien tome

Dar la vuelta a la psicología: decirle a un individuo algo específico o lograr algo para inspirarlo a hacer lo contrario, que es realmente lo que quieres.

Manipulación semántica: uso de palabras que se espera que tengan una definición típica o común.

¿Quién usa la psicología oscura y las tácticas de manipulación? Aquí hay un resumen de las personas que parecen usar más estas tácticas.

Narcisistas: las personas que son genuinamente narcisistas (que cumplen con el diagnóstico clínico) tienen un sentido ampliado de autoestima. Necesitan que otros aprueben su convicción de ser predominantes. Sueñan con ser venerados y reverenciados. Usan tácticas de psicología oscura, manipulación y persuasión poco confiable para mantenerse al día.

Sociópatas: las personas que son genuinamente sociópatas (que cumplen con el diagnóstico clínico), suelen ser seductoras, inteligentes y, sin embargo, imprudentes. Debido a la ausencia de emocionalidad y la capacidad de sentir arrepentimiento, usan tácticas oscuras para armar una relación superficial y luego explotar a la gente.

Abogados: algunos abogados se centran tan ansiosamente en ganar su caso que recurren a la utilización de tácticas de persuasión oscura para obtener el resultado que necesitan.

Legisladores: algunos funcionarios del gobierno usan tácticas psicológicas oscuras y tácticas de persuasión oscuras para persuadir a las personas de que tienen razón y que voten.

Representantes de ventas: muchos vendedores se concentran tanto en lograr un trato que utilizan tácticas oscuras para inspirar y convencer a alguien de que compre su artículo.

Líderes: algunos líderes usan tácticas oscuras para obtener consistencia, un esfuerzo más notable o una mayor ejecución de sus subordinados.

Oradores abiertos: algunos oradores usan tácticas oscuras para aumentar la condición entusiasta del grupo de espectadores, dándose cuenta de que incita a vender más artículos al fondo de la sala.

Gente egoísta: puede ser cualquier individuo que tenga una motivación propia antes que los demás. Utilizarán tácticas para abordar sus propios problemas primero, incluso a costa de otra persona. No les importa los resultados de ganar-perder.

La gente intenta una amplia gama de cosas para recuperar a su ex, pero algunas veces se quedan cortas. Las estrategias psicológicas oscuras pueden ayudarte a hacer que tu ex vuelva sin poder para resistirte en poco tiempo. Existen algunos procedimientos para recuperar a su ex; sin embargo, deben estar conectados metódicamente para obtener excelentes resultados.

Nosotros como un todo, en ocasiones nos enfrentamos a algunos minutos agitados y lo más horrible en la vida es cuando tu amado te deja. Existen varios enfoques para recuperar a tu ex a lo largo del tiempo; sin embargo, es vital cierta tolerancia. Haz lo que sea necesario para no renunciar a todas las expectativas con respecto a salvar tu relación y haz todo lo posible por recuperar a tu ex.

Las oscuras estrategias psicológicas

1. Reclame su sentido de interés. El interés es una variable impulsora increíble en la mayoría de los maquillajes. La gente seguirá lo que desee para satisfacer su curiosidad.

2. Estimule su interés propio. El interés propio es una chispa única en cada uno de nosotros. Muchos harán todo lo posible para satisfacer su egoísmo.

Trate de no intentar surgir indiscriminadamente para recuperar a su ex. Establece una intención a prueba de idiotas para acercarte a tu ex. El enfoque preciso lo ayudará a lograr sus cierres. Como cuestión de primera importancia, hágase arreglos sincera y racional y luego proceda considerando el arreglo que tiene. Aprovecha el tiempo para diseñar una estrategia para tu ex, ya que el ajetreo no solucionará tu problema.

Asegúrate de los medios que tomas para recuperar a tu ex. La energía de la manera correcta lo ayudará a salir de la condición en la que se encuentra. Acérquese a su ex de manera eficiente con su disposición preparada. Recibir la ayuda de sus compañeros también lo ayudará a resolver su problema, ya que ellos pueden ayudarlo constantemente.

Intenta hablar de las cosas con tu ex de forma transparente y, además, haz lo que sea necesario para no ocultar los elementos. Hablar punto a punto le ayudará a resolver el problema. Intente regalar las cosas que le gustan a su ex en su reunión como le plazca y las probabilidades de solucionar el problema también aumentarán . Sea agradable cuando esté conversando con su ex. De esta manera, estas son una parte de las cosas que debe recordar a medida que continúa con la etapa siguiente.

Capítulo diez

Cómo manipular a alguien

Manipular a los demás es una forma de conseguir lo que necesitas, ya sea engañando a tu jefe para que te dé un aumento o consiguiendo que tu cómplice te lleve a una excursión sentimental. Muchos aceptan que en este sentido es incorrecto e incorrecto. Cualquiera que sea su razón para manipular a alguien, juegue bien sus cartas y agudice sus aptitudes de manipulación. Evalúe una variedad de técnicas de manipulación y descubra cómo manipular a las personas en una variedad de circunstancias. Si necesita descubrir cómo manipular a los demás más rápido de lo que puede llorar una lágrima falsa, en ese momento, siga estos medios.

1. Toma una clase de actuación. Una pieza importante de manipulación es descubrir cómo dominar tus sentimientos y hacer que otras personas respondan a tus sentimientos creados. Si necesitas darte cuenta de cómo mostrarte más problemático de lo que realmente estás, o utilizar una variedad de otras técnicas entusiastas para salirte con la tuya, en ese momento, tomar una clase de actuación es una forma ideal de mejorar tus fuerzas de influencia.

Trate de no decirle a otras personas que está tomando una clase de actuación si lo está haciendo para descubrir cómo manipular a la gente. De lo contrario, pueden llegar a sospechar de sus tácticas en lugar de confiar en usted.

2. Tome una discusión o una clase de conversación abierta . Si bien las clases de actuación pueden permitirte dominar tus sentimientos y persuadir a otros para que te den la oportunidad de tener lo que necesitas, tomar una discusión o una clase de conversación abierta te permitirá descubrir cómo convencer a la gente. No exclusivamente descubrirás cómo componer y exhibir tus consideraciones de una manera cada vez más útil; sin embargo, también aprenderá técnicas para hacer que sus necesidades sean excepcionalmente persuasivas.

3. Establezca similitudes. Puede hacer esto mediante una estrategia llamada 'ritmo', donde puede reflejar su lenguaje corporal, su ejemplo de sonido, etc.

La estrategia tranquila e influyente es extraordinaria para persuadir a su jefe o colaboradores a lograr algo. Ser entusiasta puede no funcionar en un entorno experto.

4. Sea carismático. Las personas carismáticas tienen una inclinación característica por conseguir lo que necesitan. Si necesita manipular a la gente, en ese momento, debe trabajar su magnetismo. Deberías tener la opción de sonreír e iluminar una habitación, tener un lenguaje corporal accesible para que la gente necesite conversar contigo. También debería tener la oportunidad de mantener una conversación con cualquiera, desde su primo de nueve años hasta su profesor de historia. Aquí hay algunas formas diferentes de ser carismático:

Haz que la gente se sienta excepcional. Mire cuando converse con ellos y obtenga información sobre sus emociones e intereses. Demuéstreles que realmente le importa familiarizarse con ellos, independientemente de si no es así.

Irradia certeza. Las personas carismáticas aman cuál es su identidad y lo que hacen. Es más, si tiene confianza en sí mismo, en ese momento, las personas serán significativamente más propensas a prestarle atención y ceder a sus necesidades.

Estar seguro. Cuando digas algo, ya sea real o solo una creación más, hazlo con certeza. Intente ser locuaz mientras se pone de pie con su sujeto.

5. Aprenda de los jefes . Si tienes un amigo, pariente o incluso un enemigo que es un controlador as, debes considerar a esta persona y también tomar notas. Perciba cómo siempre averiguan cómo conseguir lo que necesitan. Esto le dará nuevos conocimientos sobre cómo manipular a las personas, independientemente de si termina siendo engañado simultáneamente.

Si está genuinamente dedicado a descubrir cómo manipular a las personas, en ese momento, incluso puede equiparse con las habilidades para manipular a una de las personas que ha estado contemplando.

6. Aprenda a leer detenidamente a la gente. Cada individuo tiene una cosmética entusiasta y mental diferente y, posteriormente, es manipulado por diversas razones. Antes de comenzar a tramar su conspiración de manipulación más reciente, haga a un lado el esfuerzo de contemplar al individuo que necesita manipular. Comprenda lo que es más importante para él y vea el mejor enfoque para lograr que este individuo se adapte a sus necesidades. Aquí hay algunas cosas diferentes que puede descubrir cuando lee a la gente:

Numerosas personas son vulnerables a reacciones apasionadas. Estas personas son apasionadas, lloran en las películas, aman a los perritos y tienen fuerzas sustanciales de simpatía y compasión. Para lograr que hagan lo que necesitas, tendrás que jugar con sus sentimientos hasta que se sientan frustrados contigo y te den lo que necesitas.

Otras personas tienen un sólido reflejo de culpa. Algunas personas se criaron en una familia restrictiva, donde fueron rechazadas por hacer mal cada detalle que fácilmente se pasa por alto y ahora experimentan la vida sintiéndose arrepentidos por todo lo que hacen. Con estas personas, la respuesta es evidente: haz que sientan pena por no darte lo que necesitas hasta que cedan.

Algunas personas se abren progresivamente a la metodología objetiva. Si tu amigo está lógicamente desaprobado por todos lados, lee las noticias con frecuencia y siempre necesita actualizaciones y pruebas antes de decidirse por una elección, en ese momento tendrás que utilizar tus fuerzas tentadoras silenciosas para obtener lo que necesitas en lugar de usar tus emociones. para manipularlo.

Capítulo once

Cómo influir en las personas

¿Qué es la teoría de la influencia social?

La influencia social ocurre cuando las consideraciones o actividades de una persona son influenciadas por otras personas de manera intencionada o inesperada debido a cómo la persona que ha cambiado se ve a sí misma en relación con el influencer, otras personas y la sociedad en general.

Consistencia: una persona parece estar de acuerdo con la mayoría de las personas dentro de una reunión, aunque en algún lugar de su corazón no lo está.

Identificación: una persona se verá influenciada por personas conocidas o preferidas, por ejemplo, grandes nombres o parientes mayores para continuar con sus prácticas.

Disfraz: una persona será efectivamente influenciada para estar de acuerdo con algo tanto libre como secretamente.

¿Cómo Para influir sobre las personas?

Elija un jefe de sentimientos (una persona muy respetada y celebrada) y asocie a esa persona en su comunicación, ya que esta metodología se identifica con el factor de "identificación".

Observe qué número de personas han contribuido a un programa en su comunicación con el objetivo de que otras personas se sientan influenciadas para encajar en el público en general.

Los tributos de clientes anteriores o personas en circunstancias comparables que compartan las ventajas de utilizar un artículo en particular aumentarán el valor del procedimiento de influencia. Esto hará que los nuevos compradores piensen: "Si otros pueden ocuparse de sus problemas con este artículo, ¿por qué no podría usted hacer lo mismo?". Cuantos más tributos tengas, más destacada será la influencia.

Algunas personas necesitan una auténtica confirmación social para aceptar realidades o explicaciones, y las grabaciones son el instrumento adecuado para influir en ellas. Cuanto mayor sea el número de perspectivas para un video relevante, más convincente será para que alguien lo vea.

¿Cómo Para dominar el arte de influir sobre Teoría Social?

- *Inscríbase en un costoso curso de influencia por terapeutas profesionales por $ 1000 al menos 5000 (caro)*

- *Lea diferentes artículos y obtenga instrucciones sobre el método más eficaz para influir en las personas.*

- *Compre libros digitales y cursos electrónicos de influencia fantástica junto con valiosas recompensas por ofertas.*

Instrucciones paso a paso para influir en las personas obteniendo lo que quieres en la vida

Descubrir cómo influir en las personas puede ayudarlo a lograr numerosas cosas en la vida, por eso hay una cantidad tan significativa de personas que buscan este término en Internet. Es un arte o una habilidad que se puede conectar en su día a día, en el entorno laboral, familiar o incluso en el juego de las citas.

Hay técnicas instruidas en numerosos libros sobre cómo impactar a las personas, y la mayoría de ellas lo incluyen a usted para cambiar su comportamiento y conducta mientras conversa con la gente. Estas estrategias son poderosas y pueden influir en las personas si la persona a la que necesita influir no es una persona difícil. tuerca 'para separar.

Algunas técnicas incluyen la utilización de su control mental, enviando mensajes clarividentes a las personas para que reconozcan la compatibilidad antes de inducirlos personalmente. La idea esencial está ligada a hablar con la persona (a la que debes influir) en su nivel subliminal.

La persona que recibe los mensajes discretos en general confiará en usted y agregará compatibilidad con usted, lo que le permitirá persuadirlos cuando les haga propuestas de manera efectiva. Además, su personalidad intuitiva (que ha captado sus mensajes subliminales) los 'animará' a hacer progresiones a lo largo de estas líneas, haciéndoles sentir que se han decidido por las elecciones ellos mismos (en lugar de sintonizar con usted).

Existen técnicas adicionales que le permiten influir en otros utilizando "palabras" mientras mantiene una conversación con ellos. Esta estrategia se clasifica como un misterio oscuro, ya que incluía a personas fascinantes sin su conocimiento. En cualquier caso, es ampliamente utilizado por numerosas personas que necesitan influir en las personas para que hagan las cosas y se decidan por las opciones que necesitan que sigan.

C onclusión

La cuestión de cómo influir en las personas surge con frecuencia cuando instruimos a clientes ejecutivos, y muchas personas necesitan descubrir cómo ser cada vez más persuasivas sin saber con precisión qué quieren decir con eso.

La metodología típica es descubrir cómo se ve, suena y se siente 'ser cada vez más poderoso' para los clientes; como tal, ¿de qué manera se darán cuenta de que están impactando a otros y siendo progresivamente influyentes? Exactamente en ese punto podríamos controlarlos más sobre la mejor manera de influir en las personas. La razón es que un término o conjunto de palabras similar puede tener diferentes significados dependiendo de la circunstancia específica o la forma de vida en la que trabaja el ejecutivo, y debemos comprender qué implica la influencia dentro de esa asociación.

Como regla general, lo que los clientes están discutiendo es su capacidad para manejar las formas básicas de liderazgo, ganar socios e impulsar a las personas a seguir adelante con un objetivo específico en mente.

Cuando esto se divide en cosas u objetivos específicos a lograr, trabajamos con los clientes para construir una metodología, independientemente de si es para mostrarse con éxito en una reunión ejecutiva, buscar la ayuda de sus compañeros, convencer a sus grupos de un tema específico. plan de juego o no ser paseado por un personaje cada vez más predominante en el trabajo.

Para los ejecutivos, la prueba de ser cada vez más persuasivos puede representar el momento de la verdad en su futura profesión, ya que es un tema delicado para discutir abiertamente. Si esto se ha identificado como una necesidad de desarrollo en una evaluación, la instrucción ejecutiva es una opción que vale la pena considerar porque la preparación y el desarrollo se pueden completar en un entorno privado.

1